D0756576

L'arbre

Don de la Médiathèque départementale
de Seine-et-Marne
REVENTE INTERDITE

Collection Proches Lointains

sous la direction de
Jin Si Yan et Yue Dai Yun

avec la collaboration de
Catherine Guernier

Une collection commune
aux Éditions Desclée de Brouwer
et aux Presses littéraires et artistiques
de Shanghai

publiée dans le cadre de
la *Bibliothèque interculturelle pour le futur*

à l'initiative de
la Fondation Charles Léopold Mayer

Autour de sujets choisis pour leur importance dans notre vie quotidienne et dans nos relations humaines, la collection *Proches Lointains* propose la rencontre originale de deux auteurs. L'un chinois, et l'autre, français, en parlent à leur manière, d'après leur expérience propre et remontent aux sources de leur civilisation pour évoquer la manière dont des philosophes, des écrivains, des poètes en ont parlé.

Une invitation au détour par la culture de l'autre, pour comprendre mieux la sienne et pour faciliter le dialogue inter-culturel entre la Chine et la France, avec, bien sûr, ses entendus et ses malentendus.

Tang Ke Yang
Roland Bechmann

L'arbre

Don de la Médiathèque départementale
de Seine-et-Marne
REVENTE INTERDITE

PRESSES ARTISTIQUES ET LITTÉRAIRES DE SHANGHAI
DESCLÉE DE BROUWER

© Desclée de Brouwer, 2010
10, rue Mercœur 75011 Paris

ISBN : 978-2-220-06166-5

AVANT-PROPOS

Auprès de mon arbre je vivais heureux
J'aurais jamais dû m'éloigner d'mon arbre
Auprès de mon arbre je vivais heureux
J'aurais jamais dû le quitter des yeux.

Qui dira mieux la proximité de l'homme et de l'arbre que cette chanson de Georges Brassens ? Arbre, meilleur ami de l'homme pourrait-on dire, mais aussi parfois modèle d'existence comme le formule, dans un genre littéraire très différent, l'un des grands textes de la Bible :

Heureux l'homme qui ne suit pas le conseil des impies…
Il est comme un arbre planté près des ruisseaux ;
Qui donne son fruit en la saison
Et jamais son feuillage ne sèche…

Dans ce premier des Psaumes, toujours lu et médité de nos jours, l'arbre est considéré comme un horizon pour l'homme, un symbole d'épanouissement et de réussite. À sa manière, la verticalité de l'individu semble faire écho à la verticalité de l'arbre. Arbre généalogique, arbre de la connaissance du Bien et du Mal, arbre de vie, arbre source d'ombre et de fraîcheur… Combien d'expressions, de clés, de références ne sont-elles pas associées à ce terme, démultipliées par la diversité des cultures ?

D'emblée, le propos de Tang Ke Yang nous plonge dans une étrange nostalgie : « Notre époque n'est déjà plus celle des arbres », écrit-il en nous partageant cinq rêves significatifs. Et si faire pousser un arbre, se cultiver, faire confiance à la fragilité d'une pousse n'était-il déjà pas une belle manière de développer sa vie intérieure ? Dans la sagesse chinoise, l'arbre tient une place éminente qu'il est bon de confronter désormais avec les attentes ou les déceptions de notre modernité.

Il revient à Roland Bechmann de souligner, après des considérations plus personnelles, combien l'arbre a partie liée avec l'histoire européenne. Présent dès *La chanson de Roland*, mais aussi dans ce culte des sources de la nature que le christianisme va supplanter, l'arbre constituera une immense source d'inspiration pour l'architecture.

Comment ne pas croiser les deux regards, pour regarder autrement aussi les arbres qui nous entourent?

L'éditeur

NOTRE ÉPOQUE N'EST PLUS CELLE DES ARBRES*

par Tang Ke Yang

* Traduit par Chantal Chen-Andro.

Notre époque n'est plus celle des arbres. Dans les vastes étendues du nord de la Chine, on n'aperçoit que quelques rares arbres disséminés çà et là, près des villes et des bourgs ravagés par la guerre. Dans la campagne désertique, balayée, mise à nu par les sables et la soldatesque, se trouve le lieu-dit « Les cinq arbres ». Cette appellation, tout comme « Trois pièces » ou « Double rivière », désigne simplement une qualité de vie, un mode d'habitat humain courant. Mais voilà, ces lieux-dits sont éloignés, indépendants les uns des autres, ils n'entretiennent pas entre eux de relations.

I
LE MOINE ET LE PLANTEUR

Un jour, un moine du Sud qui roulait sa bosse par le monde passa dans ce petit village désolé et constata que ce lieu, nommé « Les cinq arbres », ne possédait en fait aucun vrai grand arbre bien vigoureux, tout comme les signes d'une présence humaine y étaient rares. Seul, à l'entrée du village, près du mur d'enceinte éboulé bâti en terre jaunâtre, un planteur d'arbres se lamentait avec tristesse. Près de lui était posée une bêche ébréchée toute piquée par la rouille et qui semblait avoir servi bien longtemps.

Le moine errant trouva cela étrange ; il ne put s'empêcher de s'arrêter pour demander :

« Pourquoi pleures-tu ?

– Mes ancêtres m'ont transmis un *Manuel de plantation des arbres*, notre famille a vécu de ce métier pendant plusieurs générations, mais arrivé à la mienne, il est clair que cela n'est plus possible... Il y a longtemps, bien longtemps, le nom de ce village était "Les cinq arbres", or à présent, vous ne pouvez plus en voir qu'un seul encore vivant. Les habitants de ce village vont bientôt partir, car cet arbre rescapé, de son côté, est sur le point de mourir. Arbre, ô arbre, si toi-même en es réduit à cet état, comment, nous autres humains, pouvons-nous continuer à vivre ? »

À ce moment-là, le moine remarqua la scène. Il n'aurait pu dire si ces cinq arbres étaient de jeunes plants morts à cause de la sécheresse ou de grands arbres qui avaient rapetissé après dessiccation, ou même s'il s'agissait à l'origine d'arbres de haute futaie ou d'arbrisseaux, tant ils étaient bas et squelettiques... On voyait bien qu'ils avaient manqué cruellement d'éléments nutritifs, et si le seul rescapé était encore un peu vert, ses quelques feuilles étaient envahies par la chlorose, elles se recroquevillaient sans vigueur, autant de signes d'un dépérissement imminent.

« Comment tout cela a-t-il été rendu possible ? se demandait le moine en proie à la perplexité. En chemin, sur maintes terres incultes, j'ai pu voir souvent des arbres gros de plusieurs empans. Au tout début, il s'agissait de graines minuscules, venues des nuages sans aucune protection et que, le plus souvent, un coup de vent avait mêlées aux fientes d'oiseaux. Personne n'avait jamais pris soin d'elles, elles n'avaient pas pu choisir davantage leur habitat, ces graines s'étaient reproduites à l'aveuglette, pourtant, elles avaient poussé rapidement… Les arbres sauvages ne sont pas du tout des essences précieuses, ils n'ont pas besoin d'apport d'engrais, le soleil brille pour eux, leurs racines peuvent s'étendre jusque dans les profondeurs des fentes des rochers à la recherche de sources… Serait-il plus difficile de planter des arbres que des céréales ?

— D'après votre accent, vous venez des contrées chaudes du Sud, lui dit le planteur. Il est vrai que le *Manuel de plantation des arbres* répète à l'envi que les conditions présidant à la longue vie des arbres et, de plus, à leur bonne fécondité, peuvent se résumer à l'adage : "Laisser faire la nature de l'arbre", lequel n'est rien d'autre en fait que la philosophie du "vivre vaille que vaille" », à laquelle on s'est contenté d'ajouter, comme enrobage, cette autre maxime : "Respecter sa nature propre." La végétation aime croître à sa guise, c'est pourquoi les humains doivent laisser s'étendre les rhizomes, se déployer les branches, faire que la terre autour des racines garde au maximum son aspect d'origine, qu'elle ne soit pas labourée à tout bout de champ, car un excès de soins répétés est la cause de la mort par sécheresse des arbres. La meilleure méthode de plantation reste de les abandonner à leur sort, sans se soucier davantage de leur aspect, sans s'inquiéter de leur rendement… Mais, par malheur, je suis né dans le Nord austère où tout ce qui est dit dans le livre au sujet des plantations d'arbres ne peut s'appliquer… "Ô combien le peuplier blanc s'afflige du vent", oui, un grand vent fait souvent se rompre les jeunes plants qui n'ont pas encore grandi, si on ne les étaie pas, au premier ouragan, c'en est fini pour eux. Ici, même si un arbre réussit par chance à pousser, le vent lui donnera une forme bizarre, ondulante, pas question de croissance rapide ; et puis il y a aussi cet adage : "Laisser faire la nature de l'arbre" dont nous avons parlé plus haut… Vous savez que si les poiriers sauvages et les sauvageons ne sont pas transplantés, leurs fruits seront tardifs, tôt ou tard, ils dégénéreront, si bien qu'à la fin, chaque poire donnera peut-être une dizaine de graines, mais deux tout au plus noueront un fruit alors que les autres deviendront des arbres sauvages. Dans ces conditions, vous ne pouvez vous dispenser d'apprendre quelques techniques de greffes, car la fructification des poiriers greffés est plus rapide que celle des sauvageons… Aussi, dites voir un peu : que puis-je faire ? Tout cela n'est pas à ma portée, car après la greffe, il faut encore arroser abondamment les plants, les protéger assidûment. Je ne parle même pas de ces précieuses "branches entrelacées de deux arbres". Tout cela, je ne le connais que par les livres… L'hiver chez nous est long et rude, quand la neige tombe abondamment, tous les végétaux se flétrissent ; puis vient le printemps, court et sec, alors que les racines n'ont pas eu le temps d'assimiler les éléments nutritifs fournis par la seule terre, elles se retrouvent exposées au soleil de l'été, le bois ainsi obtenu est de mauvaise qualité. Autrefois, les arbres qui avaient résisté et étaient parvenus à pousser, une fois morts, ne pouvaient qu'être brûlés pour le chauffage, on ne saurait trouver un seul petit banc en bois dans le village, sans parler de meubles plus importants… »

Après ce discours, le planteur d'arbres, de nouveau, ne put retenir ses pleurs.

Le moine se mit à croupetons et resta là à caresser les quelques branches rescapées et encore vigoureuses de l'arbre, il jeta un regard aux quatre arbres morts à côté, versés ou desséchés, il demanda, comme si de rien n'était : « Si je peux t'aider à sauver ces cinq arbres dans leur totalité, de ton côté, qu'espères-tu d'eux ?… »

Le planteur eut un sursaut de surprise, il semblait n'en pas croire ses oreilles, ou ne pas avoir bien compris le sens de cette question, pourtant très simple ; il restait là à regarder son interlocuteur droit dans les yeux, puis il jeta un coup d'œil sous ses propres pieds, il finit par être convaincu que ce moine errant sortait de l'ordinaire. En effet, lorsque le regard plein de douceur de ce dernier s'était attardé sur l'arbre condamné à mourir, à son grand étonnement, une nouvelle feuille était apparue.

Après un long moment de réflexion, le planteur dit : « La chose la plus urgente est bien évidemment d'empêcher cet arbre de mourir, c'est le dernier arbre du village… Le deuxième arbre a besoin d'une seconde vie, il produira les plus belles fleurs du monde ; le troisième devrait assimiler la quintessence de l'univers, se développer vigoureusement, pareil à un bel homme ; le quatrième, j'aimerais qu'il donne un bois de la meilleure qualité, afin de fabriquer les plus jolis meubles de la terre, quant au dernier… » Il marqua une pause, comme s'il avait déjà formulé tous les vœux qu'il avait à faire et ne savait plus, sur le moment, comment continuer.

« Avec le cinquième, rappela le moine, tenant sous son regard le planteur d'arbres, c'est ta dernière chance. »

La situation s'était brusquement tendue et comme si, sous cette pression, une inspiration soudaine était venue à l'esprit du planteur, il poussa un long soupir : « Eh bien oui, je souhaiterais qu'il ne soit pas un seul arbre, mais que, comme c'est le cas pour les banians du Sud, il puisse s'étendre pour former une forêt, et le mieux serait que cette forêt recouvre la terre entière ; ainsi, moi-même mais aussi mes descendants pourrions dormir sur nos deux oreilles, et aurions de quoi nous occuper à jamais. »

Le soir, le moine fut hébergé par le planteur. Lui qui menait pourtant une vie d'ascèse à longueur d'année éprouvait quelque difficulté à s'habituer à la sécheresse intolérable du Nord. Le sable qui s'infiltrait par les fentes de la fenêtre, passait avec un bruit de frottement sur la natte du kang[1], et sur cette natte dure comme du fer, il lui semblait entendre par intermittence, au gré de la bise mugissante, les sanglots proférés en rêve par le planteur d'arbres :

« Arbre, ô arbre, si toi-même en es réduit à cet état, comment nous autres humains pourrions-nous continuer à vivre ? »

Le courant profond des rêves emporta ces sanglots, pour les abandonner dans les hautes sphères cosmiques.

Comme ces pleurs poignants retombaient, soudain de sourds grondements de tonnerre se firent entendre sur toute la terre ; on aurait dit des milliers de voix qui se répondaient, amplifiant le bref soupir qu'avait poussé le planteur d'arbres, le transformant en un chant pathétique qui déferlait tel un raz-de-marée emportant tout sur son passage ou, comme le dit le diptyque : « Feuilles qui tombent, tristesse pour toute l'année[2]. » Mais ce ne sont pas les seules épreuves, il y a aussi le fait d'être séparé par des montagnes et des fleuves, la tristesse de l'exil, le déracinement total, le spectacle horrible des racines blessées saignant goutte après goutte. Le feu de la terre s'infiltra au cœur du bois pourri, brûla certains des arbres morts en autant de tas de cendre. Ceux qui, par chance, avaient échappé à la calcination, furent brisés, dans ce cataclysme, par l'impact des énormes pierres ou par le poids de la glace, de leurs blessures coulaient un liquide huileux, trouble, leur corps recroquevillé se couvrit de galles très voyantes. Dans les villes détruites, les beaux arbres et les jolies plantes durent se contenter des ruelles pauvres, se perdre parmi les broussailles, se glisser par les battants délabrés des portes. Dans les vallées perdues, des esprits sylvestres apparurent, les démons des montagnes rugirent, faisant trembler de peur les voyageurs descendus dans les auberges…

Ne croyez pas que la dureté du destin ne concerne que les rigueurs du Nord, les étendues désertiques septentrionales. Elle existe aussi pour les forêts touffues du sud du pays où les tornades d'été et les violentes pluies de printemps sont autant de tourments liés à l'inclémence des saisons… Celle que décrit par exemple Su Shi[3] dans son *Poème du manger froid*, quand le vent et la pluie portent la tristesse à son comble : hier, c'était encore un jour radieux, soudain le temps change en un clin d'œil, les frêles branches ne peuvent supporter l'ouragan qui hurle à longueur de journée, elles finissent par tomber à profusion sur le sol, les fleurs ravissantes qu'elles portaient n'ont, pour certaines, fleuri qu'un matin, en un rien de temps, les voilà enterrées dans la fange. Ces branches mortes odoriférantes pourraient se conserver intactes dans le désert, mais après avoir macéré dans l'eau de pluie, elles pourrissent vite… Et cela n'en reste pas là, la pluie qui ruisselle sans fin depuis l'amont rassemble toutes les immondices curées par la nature, les mêle aux excréments des animaux et au limon gras charrié par les fleuves, des beaux et éphémères paysages printaniers ne reste qu'une scène de fin d'hiver…

« Arbre, ô arbre, si lui aussi en est réduit à cet état, comment les humains, ballottés dans ces paysages sans contours, entre eau et brume, pour-raient-ils continuer à vivre, alors que leur foyer est dévasté, qu'ils sont voués aux affres de la faim ? »

Le moine errant, le moine profondément endormi dans la masure des « Cinq arbres », dans la lumière argentée du clair de lune, s'éveilla de son cauchemar, tandis que le planteur d'arbres, lui, peu à peu apaisé, s'était endormi… Il savait que les illu-sions qu'il avait abandonnées depuis longtemps étaient en train de fermenter, tout comme ces grains de sable qui voyageaient sur la natte du kang, elles entraient sans fin dans les rêves du planteur.

En un certain sens, le planteur, c'est moi. Je suis le planteur.

II
LES CINQ RÊVES

J'ai fait cinq rêves, cinq rêves liés aux arbres…
Cela n'étonnera pas le lecteur : ces cinq rêves sont
un à un une réponse aux vœux du planteur. Le
premier concerne les revers de l'existence ; dans le
second, l'espoir renaît effectivement au bout des
branches mortes ; dans le troisième, il y a vraiment
un génie qui ne demande qu'à prospérer ; l'arbre
du quatrième rêve est déjà devenu du bon bois
d'œuvre, il a atteint l'accomplissement qui est le
vœu de toute individualité vivante ; le dernier rêve
concernant la « terre entière », ce rêve-là est vide.

Mais le paysage que j'ai devant moi n'est pas
celui des vastes étendues désertiques du Nord
balayées par les sifflements de la bise, je ne me suis
jamais rendu là-bas. Dans cette Chine du Sud où
je suis né et où j'ai grandi, il s'agit d'un tout autre

paysage. Le mot « arbre » y est rarement employé au singulier ; ici, l'ombrage de la végétation ne semble guère bouger, comme le notait le moine errant, et si le vent se lève, les graines, même mêlées à des fientes d'oiseaux, ont bon espoir de devenir des arbres de haute futaie montant jusqu'au ciel. Sans parler du beau soleil estival, ici, même l'hiver garde une douceur nonchalante. Les arbres toujours verts n'ont pas ce côté extraordinaire qu'on leur trouve au village des « Cinq arbres ». Bien au contraire, ils sont omniprésents, constituent pratiquement à eux seuls l'arrière-plan des villes du Sud et occultent de façon ingénieuse tout ce qui se cache derrière eux ; dans les lointains où danse la poussière semble alors se dessiner un mirage vert, comme autant de vapeurs ondulantes… Et, moins heureuse sur ce rideau continu, si plaisant à la vue et au cœur, il y a toujours une hideuse corde à sécher le linge à laquelle sont accrochés des vêtements bariolés, qui rappelle à celui qui regarde qu'il ne s'agit pas de lignes de partage imaginaires retenues par la nature, mais de simples bornes de la vie « humaine ».

Ces cordes ne sont pas dans mes rêves.

Je n'ai guère de temps pour prêter attention à ces arbres. Penché sur ma table de travail à longueur de journée, j'ai rarement quelques minutes à consacrer à l'observation du monde réel. Chaque jour, je quitte la maison en voiture et y reviens de même pour me retrouver assis à mon bureau. Souvent, je ne peux que lever la tête à la hâte pour regarder au-delà du balcon, et ce que je remarque en premier, ce n'est pas la verdure dense des grands arbres entourant mon immeuble (même si elle est bel et bien là), mais la route grise, monotone qui coupe tout ce vert, ainsi que les maisons avec leurs pancartes : « Vendu », installées çà et là, et qui font penser à des drapeaux bariolés séchant sur des cordes à linge. Il me faut le reconnaître : cela fait longtemps déjà que je prête attention à ces panneaux devant mes yeux, chaque fois que je vais sur Google Map, je sais précisément où les situer, je sais aussi combien j'aspire à vivre sous cette verdure. Mais voilà, pour atteindre ce but, il me faut continuer à écrire, penché sur ma table de travail… Je ne sais pourquoi, mais dans le calme de la nuit, chaque fois que, désespéré, je ferme la fenêtre, il me semble entendre le crissement du sable passant sur la natte du kang du village des « Cinq arbres », ainsi que les sanglots indistincts, proférés en rêve par le planteur d'arbres.

Pendant les nuits où je ne trouve pas le sommeil, je ne peux que retourner près de ma bibliothèque, pour chercher dans les livres d'histoire une réponse à ma perplexité, tout comme le planteur d'arbres dissipait sa tristesse grâce à son *Manuel de plantation des arbres*, tout usé d'avoir été feuilleté. Dans tous les écrits emplis de phraséologie pompeuse, on trouve couramment les mots : « cultiver les arbres », « art de se cultiver soi-même », employés de concert, le côté expert de la première formulation semblant suggérer la qualité de perfection inscrite dans la seconde. Mais je sais bien qu'il ne s'agit manifestement là que d'une terminologie faisant illusion. Je sais fort bien aussi que ceux qui connaissent la vie mouvementée de Liu Zongyuan[4], l'auteur de la *Biographie du planteur d'arbres Guo Tuotuo*, ou que ceux qui apprécient les soupirs de ce héros qu'était Xin Qiji[5], auteur du poème *Ayant obtenu de mon propriétaire le* Livre de plantation des arbres, même s'ils n'ont pas vu le minuscule village « Les cinq arbres » ne devraient pas être bernés par la légende immémoriale sur la luxuriance d'une certaine « forêt mythique »… Le bon bois d'œuvre attend le meilleur usage ; parmi les titres mandarinaux des temps anciens il y avait celui de « Pilier de l'État[6] », et même un arbre disgracieux peut bénéficier des soins d'un planteur attentionné qui « suivra sa nature » et lui permettra d'aller ainsi au bout de son lot de vie. Mais la réalité montre que ces deux destins ne sont pas bien fameux : les grands vents veulent toujours faire se rompre ces reins qui osent défier la pesanteur ; quant aux arbres malades ou courbés dont on ignore le nom, en fin de compte, ils ont bien des difficultés eux aussi à échapper au désastre, la terre qui reçoit trop de soins actifs ne peut produire que des « mûriers creux » ou des « prunus malades », elle n'a plus cette vitalité exubérante dont parlent les légendes.

Il n'y a rien d'extraordinaire à cela. La nature prenant le commun des mortels pour des jouets est trop impitoyable, les arbres, ou bien les gens ordinaires comme moi, ne saisiront jamais les desseins du Créateur. Aux yeux de ce Dieu redoutable, il semble bien que toute vie susceptible d'être différenciée se trouve condamnée à ceci ou à cela, vous laissant un goût de regret lié à un sentiment de manque. Les vastes étendues du Nord sont bien sûr trop désertiques, quant aux forêts denses du sud du pays, pour les vies individuelles si fragiles, elles sont trop luxuriantes. Ce qui plaît aux gens, c'est la joliesse des saules actuels, mais ces saules pleureurs délicats ne font pas du bon bois, quant aux arbres millénaires, si leur bois est dur comme fer, ils ne donnent pas de belles fleurs. Depuis cet arbre qui s'est dressé vaillamment à partir de la perception sensible de l'homme, ou bien de son imagination inconsciente, les arbres ne peuvent plus être sauvés, ils sont luxuriants, agissent à leur guise, d'une beauté charmante, parfois fragiles, poussent en désordre, ou bien sont creux…

« Feux du troisième mois au palais Jianzhang[7], sur le fleuve Jaune radeaux à l'infini, si ce ne sont vergers de la Vallée d'or, ce sont régions fleuries de Heyang… » (*Récitatif de l'arbre mort*).

Le destin de choses et de gens qui paraissent souvent très ordinaires est fait de tant de contradictions.

III
LE PREMIER ARBRE AUJOURD'HUI
DE NOUVEAU SE FLÉTRIT

« Yin Zhongwen (?-407) est célèbre dans tout le pays pour son raffinement et son mépris des conventions ; à temps nouveaux monde nouveau, il a été préfet de Dongyang ; souvent il se plongeait dans un état méditatif, ainsi, regardant les sophoras de la cour, il disait en soupirant : "Ces arbres sont très touffus, leur vitalité est épuisée." » (Geng Xin, 513-581, *Récitatif de l'arbre mort*).

À supposer que l'« humain » que je suis n'ait pas existé, le rêve sur les cinq arbres n'aurait jamais commencé, et quand bien même cela aurait été le cas, il n'y aurait pas eu un petit sentier, comme on en voit dans les tableaux, qui conduirait là-bas.

Le premier arbre qui apparaît dans le rêve d'un « humain » semble avoir existé dès le chaos originel… À proprement parler, il ne s'agissait pas d'arbre, tout au plus d'une « herbe » qui avait grandi un peu plus que les autres, d'une plante de la famille des cryptogames, espèce du règne végétal la plus ancienne sur terre et qui avait prospéré un temps pendant le paléozoïque. On raconte qu'à partir du crétacé, les angiospermes – c'est-à-dire l'espèce à laquelle appartiennent la plupart des arbres que nous voyons actuellement – ont vu le jour pour occuper en fin de compte une place dominante parmi le manteau végétal du globe, reléguant au second plan les cryptogames et les gymnospermes.

Ces espèces semblaient destinées à ne pas retenir l'attention des êtres humains : dans un monde aquatique où les primates n'avaient pas encore fait leur apparition, la plupart des cryptogames poussaient à l'ombre, dans les forêts humides et sombres, sur les terres volcaniques crevassées, dans les bourbiers, les marécages et autres terres humides et acides… en somme, là où le soleil ne pénétrait pas. De nombreux cryptogames ne peuvent grandir que dans des conditions acido-basiques bien déterminées. Ainsi, la catégorie des schizaeaceae ne peut survivre que sur des sols humides hyper acides, tandis que les fougères à bulbes ne poussent que sur des terrains calcaires. Parmi elles, de nombreuses espèces ne peuvent coexister qu'avec des végétaux « inférieurs », comme les mycorhizes – elles sont alors semblables à des rebuts d'un monde sans pitié, laides, décrépites, elles n'ont d'autre recours que lutter avec difficulté à la surface des roches, mais en tant que corps collectif, elles dégagent une énergie effrayante. Ces vies aveugles, qui autrefois couvraient la Terre, constituent la plus grande part des composants organiques de ce combustible noir qui, de nos jours, rend les gens frénétiques : le pétrole.

La principale différence entre les cryptogames et les angiospermes est que les premières ne fleurissent pas.

L'absence de floraison revêt de nombreuses significations, pourtant, au bout du compte, cela reste lié à la perception sensible de l'« être humain ». Car enfin, à l'époque où les dinosaures marchaient sur la terre, la gloire de l'Empire romain n'aurait pas valu grand-chose, sans parler de l'absence de quelques fleurs. Pourtant, dans ce monde infini, mais voué à une monotonie indifférenciée, a poussé un arbre « singulier » proposé à la mémoire humaine, un fait très surprenant.

Comme c'était une fougère arborescente assez haute, suffisamment visible, elle a échappé à l'ombre dense des zones forestières sombres et humides, des fentes des roches, des étangs et des marécages, ce n'était plus une composante toutes griffes dehors de la forêt, ce n'était plus des fougères couvrantes, c'était déjà un arbre qui se dressait, isolé… Le vent négligent a emporté les spores dans un environnement inadapté, et elles sont devenues source de vie dans ces étendues désertiques. Elles ont eu beau s'efforcer de croître, elles ont vite dû affronter les pires calamités, des millions et des millions d'années plus tard, elles deviendront finalement un souvenir brûlé longtemps par le soleil sur les fossiles d'un désert aride.

Dans l'ombre lointaine, les autres cryptogames regardaient bizarrement ce congénère peu commun, avant de se détourner avec indifférence dans le vent… Le destin de ces « arbres » formant une collectivité, et celui de cet « arbre » singulier à l'écart, ne sont pas, en fait, si dissemblables, la seule différence tient à ce que les premiers étaient habitués à l'ombre et savaient rester longtemps dans les ténèbres du feu de la terre, tandis que l'arbre dressé, l'arbre qui frissonnait dans le vent, recelait un « sens » caché particulier, perceptible dans sa destinée.

Alors il y eut un autre arbre, des millions et des millions d'années après, plus proche de la mémoire de l'« humain » que ne le sont les cryptogames de l'ère du chaos primitif.

Cet arbre était un cannelier qui se balançait dans le vent, un vrai arbre qui fleurit en été et se fane tout de suite après, à l'automne. « Tourbillonne le vent d'automne, sur les vagues du lac Dongting tombent les feuilles[8]. » Il s'agit peut-être là du premier poème en prose chinois, son écriture est tellement simple et directe, le sens est si évident et si percutant, son rythme si agréable à l'oreille qu'on ne croirait pas entendre l'épanchement d'un saint ermite, mais l'affliction d'un homme ordinaire, il est à la portée des lecteurs de toutes les époques. Quand je traverse la rue, remontant mon col, alors que je ressens les premiers frissons de l'année en affrontant le vent automnal, je pense immédiatement à cet arbre.

Cet arbre passé à la postérité s'était trouvé confronté à la même question que celle qui se posait à la fougère arborescente :

« Au bord et au creux de la falaise... le cannelier de quoi a-t-il péri ? Le sterculier, pourquoi est-il à moitié mort ? » (*Récitatif de l'arbre mort*).

Ces questions n'attendent pas de réponse. Ceux qui, inlassablement, les ont posées chaque année, sont sans doute les premiers humains ? Cet arbre emporté dans le vent d'automne, poussait solitaire au bord d'une falaise surplombant un lac, il avait dépensé une énergie considérable pour accroître sa vigueur, pour éviter de se retrouver penché au-dessus des embruns des eaux tumultueuses des étendues de Yunmeng... Ce nouvel être vivant de l'époque des angiospermes continuait sans doute de croître, fatigué, parmi la confusion peu lisible

35

des végétaux cryptogamiques, ne parvenant pas à échapper à leur existence envahissante. Près de lui, soudain étaient apparus deux « humanoïdes » sales et brutaux, marchant à quatre pattes, ils déterraient les cryptogames dans les broussailles, face à un spectacle aussi impressionnant, les deux pauvres « humanoïdes », qui l'eût cru, restaient totalement indifférents, simplement, lorsqu'ils étaient fatigués de creuser, ces êtres à quatre pattes relevaient la tête et jetaient un regard intrigué à cet arbre dont la présence dépassait leur entendement.

Le plus croustillant reste que, pour la postérité, leurs gestes lors de cette « cueillette des osmondes » ont pu peut-être devenir un symbole empreint de noblesse et de pureté. Les osmondes appartiennent elles aussi à l'espèce des cryptogames, leurs feuilles tendres porteuses de sporanges qui ont essaimé sur toute la terre ont été taxées, pendant des millénaires, de « plantes pour les temps de disette » lors des périodes de transition entre deux récoltes. Tandis que le cannelier frissonnait, dressé dans le vent d'ouest, les cryptogames envahissants, eux, semblaient illustrer une même vérité triste, il ne leur restait qu'à baisser la tête, ou bien à se grouper de façon indifférenciée, afin de pouvoir, comme leurs congénères du paléozoïque, traverser des siècles interminables.

En faisant ce rêve bref, le planteur d'arbres devait certainement ressentir les affres de la faim, si bien qu'il n'avait pas eu le temps de transformer l'éclair qui avait traversé son cerveau en réponse plus nette à la question posée ci-dessus.

IV

LE DEUXIÈME ARBRE : UNE FLEUR ANTIQUE

Tous ces visages apparaissant dans la foule,
pétales sur les branches humides et noires.

Ezra Pound

La « galle », ou « trace », tire en fait son origine de la maladie et de la souffrance des arbres, il s'agit d'une excroissance qui pousse sur leur tronc ou sur leurs branches. Zhuangzi, le penseur de l'Antiquité, avait dit qu'un arbre qui ne croissait pas en bois de haut fût pouvait, en général, échapper au souffle violent des coups de haches, mais au Sud comme au Nord, l'arbre atteint de galle, de par sa laideur et sa bizarrerie justement, ne peut fuir ce destin. Dans le Sud, ce sont surtout les érables qui en sont atteints, leurs excroissances sont de petite taille, avec des volutes. Dans le Nord, cette maladie, la plupart du temps, concerne les ormes et les bouleaux ; à cause de cela la taille des excroissances est beaucoup plus grande. Il est dit au chapitre « Bois bizarres » du livre *Fondamentaux des Anciens*[9] : « La galle apparaît au Liaodong et au Shanxi. Parmi les cécidies des arbres, il y a celle de l'orme, ses fleurs sont fines, adorables, rarement grosses ; celle de la galle du cyprès, quant à elle, est grande et grossière… Au nord du pays, les galles se trouvent le plus souvent sur les saules, elles présentent des dessins et sont solides… » Les Anciens croyaient que si l'on sciait une galle, les belles veines qui se montraient n'étaient pas des cernes ordinaires, mais la notation d'un événement mystérieux qui avait eu cours pendant la croissance de l'arbre, tout comme les blessures laissées au cœur des êtres humains par l'amour sont le dépôt de la trace du temps dans la vie. C'est pourquoi chaque « trace » est spécifique : il y a celle du bouleau, celle du palissandre, celle de l'orme.

Le second rêve préservé au cœur de ces galles est mélancolie, il a la patine du temps, de ce qui a vieilli. Ce qui est exposé sur les étagères ce sont des porte-pinceaux et des porte-bonheur en racine d'arbre, des fleurs séchées d'une blancheur lunaire, des porcelaines sang de bœuf exhalant un charme antique. Une foule de plateaux de table, de commodes, de petites tables basses, tous en bois de galle, si on l'examine de près, chaque meuble ou objet a des veines originales, on pense à des nuages, aux traces laissées par le sable mouvant, à des vagues bleues immobilisées.

Pendant que je faisais ce rêve, mon regard a dû quitter quelques instants les étagères, peut-être est-il allé au-delà ? Entre les lignes de tous les vers cités ci-dessus, j'ai vu distinctement un vieillard, assis près de la bibliothèque en bois de racines, le seul être vivant de la pièce et qui n'en a plus pour longtemps à vivre en ce monde… En fait, il n'entretient plus guère de relations avec lui – tout comme dans ce petit village « Les cinq arbres », ces rebuts abandonnés par la nature dans ces temps de grands chambardements, et qui sont appelés « survivants » ; personne ne s'approche pour veiller sur eux et ils n'ont rien à voir avec la vie actuelle. Ils n'éprouvent que ressentiment infini à l'égard des choses de ce monde, et le peu de joie qui leur reste devient même infamie. Ils sont différents en cela de ces « humanoïdes » sous le cannelier poussé au bord des étendues d'eau de Yunmeng qui, eux, se nourrissaient d'osmondes pour survivre. S'ils baissent eux aussi la tête, ce n'est pas pour chercher de quoi se sustenter, mais pour rejeter cette vie frivole et dénuée de sens. Pour un être humain qui a déjà un pied dans la tombe, toute tentation venue des sens importe peu. Bien au contraire, les mets exquis provoquent chez lui de la nausée, une literie trop douillette et trop luxueuse lui fera faire des cauchemars, et si ses jeunes et jolies épouses, maintes fois, s'emploient à le séduire, pour lui qui n'a plus de désirs, elles font cela juste pour recevoir un peu plus de part d'héritage.

Où est désormais le sens de sa place dans le monde ?

La seule joie du vieillard était le bois de galle, il chérissait les traces laissées en souvenir par ces bois dans son cœur, il chantait les arbres morts, peignait à l'encre sèche leurs courbes étranges et leurs aspects changeants, comme s'il s'agissait des traces de l'âme des nuages flottant au cœur des montagnes lointaines. Les bois de galle qu'il collectionnait, pour la plupart, avaient été prélevés sur des racines d'arbres morts, celles des bouleaux, des nanmu[10], plus rarement sur les troncs. Pareil au moine errant, chaque fois qu'il visitait un lieu, le vieillard allait voir les forêts brûlées, les arbres abandonnés desséchés par le vent et, tandis que les gens circulaient dans les pépinières des arbres et des fleurs d'agrément, lui se réjouissait à la vue de chaque vieil arbre pourri aux branches entremêlées, et surtout devant ces bois de galle aux veines qui s'entrecroisaient sinueuses. On pouvait voir là-dedans des formes qui rappelaient ces personnages qu'il prisait tant dans les paysages. Il marchandait avec les gens du coin, achetait les bois de galle, les détachait avec soin, ôtait les parties pourries irrécupérables. Puis il mettait les galles dans un liquide antiseptique avant de les faire sécher à l'air libre plusieurs centaines de jours, alors il les badigeonnait d'huile d'aleurite pour les imperméabiliser, jusqu'à ce que le temps ne puisse plus leur porter préjudice – ou, selon le proverbe : « Bois sec ou mouillé demande un millénaire, bois mi-sec mi-mouillé se fait en peu d'années. » Tel est le principe. Au terme de ce processus, il les choisissait alors selon leur destination, tout comme fait un menuisier ordinaire. Celles de petite taille peuvent servir à faire des décorations, comme par exemple des socles pour stéatites, les plus grosses sont souvent les plus précieuses. Même si les espèces ou les parties de l'arbre dont elles proviennent ne sont pas les mêmes, il n'en reste pas moins que, une fois mortes, les caractéristiques de leurs veines sont *grosso modo* assez semblables. Une fois assemblées, on peut s'en servir pour faire des placages. On sertit le pourtour avec d'autres bois durs, au final, cela donne une impression d'unité, et il est difficile de repérer des différences, qu'elles aient mille ans, des centaines ou des dizaines d'années, ou proviennent d'espèces diverses, bouleaux, cyprès ou encore saules.

Dans le cœur des bois de galle qui a cessé de battre reste un espoir vague : il s'agit d'une vie nouvelle, mystérieuse, d'origine inconnue. On raconte qu'un plateau de table long de presque quatre mètres, large d'un mètre environ, d'une épaisseur de six à sept centimètres était couvert de « fleurs nomades », au milieu on remarquait de fins dessins de vigne, en regardant plus attentivement, il y avait, ô surprise, des formes entières de tiges et de feuilles, ce bois de galle avait un fort joli nom, il s'appelait « des raisins plein la treille ». Dans l'édition nouvellement complétée des *Fondamentaux des Anciens*, il est dit explicitement de ce plateau de table que « ses veines ne présentent pas de raccords, qu'il s'agit des racines millénaires d'un vieil arbre ». L'arbre ou les racines d'un arbre sont symbole de vie, c'est pourquoi les traces dans les bois de galle ne sont pas sans antécédents. Mais ce morceau de bois était manifestement mort, il ne s'éveillerait plus à la vie, à regarder avec attention ces « raisins plein la treille », tour à tour nuages, sables mouvants, flots sur l'océan, ou rien du tout, dans ce mouvement cyclique, le vieillard semblait vouloir s'élever dans les airs, dans les traces laissées dans son cœur aride montait une grande perplexité…

Au début du printemps, cette année-là, le vieillard pensa soudain à une autre solution pour se distraire de sa vie étriquée et sans relief, suivant le son clair des cloches de pierres dans les vapeurs crépusculaires, il traversa le pont de pierre pour se rendre dans un temple bouddhique qu'il avait aidé autrefois. Il s'agissait de cours délabrées où l'eau de pluie stagnait sur du sable, il y avait là un jardin original à la création duquel il avait contribué financièrement. Dans la grande salle, se trouvait une statue noire du bouddha comme on en voit peu, en bois de galle, et qu'on avait appelée « Bouddha de fer ». Le vieillard descendit du pont de pierre, comme il jetait un coup d'œil aux choucas dans les airs au loin, sous l'effet d'un verre de l'alcool local dit « primeur de printemps », lequel ne serait même pas considéré comme une bonne cuvée dans les auberges de campagnes perdues, son cœur, jusque-là pareil à une mare d'eau dormante, se mit soudain en branle.

Une femme près du village puisait de l'eau, comme il était loin, il ne parvenait pas à distinguer son visage dans les lumières crépusculaires ; le courant était sinueux, il avait beau marcher, il lui semblait impossible d'atteindre l'endroit où elle se tenait, puis, pendant le court instant où ils se trouvèrent l'un en face de l'autre, il resta soudain interdit devant son sourire charmeur.

« Le vieux monsieur revient voir les fleurs ? »

Il sursauta, surpris, il ne se rappelait pas l'avoir jamais vue, et encore moins dans quel endroit du village. Alors qu'il restait là, troublé, il oublia soudain son âge.

« Si je ne viens pas pour les fleurs… suis-je là pour toi ? » laissa-t-il échapper, avant de trouver tout à coup que ce que laissaient entendre ses propos était un peu embarrassant.

La jeune fille ne put s'empêcher de pouffer : «Vieux monsieur, cette année pour voir les fleurs, il faut aller au temple du Bouddha de fer. Il y a deux ans, au printemps, vous m'y aviez même acheté des douceurs ! »

Ce court instant de chaleur humaine tourna court dans le vent printanier réfrigérant. Cette jeune fille si pure lui fit ressentir soudain une honte sans pareille. Comme si se trouvait au fond de lui quelque chose de malsain et en même temps, ce sentiment que l'on éprouve dans sa jeunesse quand un amour est dévoilé. Il partit sans se retourner.

Où étaient les fleurs ? Sur les murs sombres, depuis bien longtemps, les peintures murales qui avaient perdu leurs coloris représentaient des « cités joyaux sans arbres », tandis que dans le jardin, tout comme dans son bureau, il n'y avait pas d'êtres vivants. Selon lui, c'est ainsi seulement que toute chose pouvait être conservée longtemps. Ainsi le jardin : un bassin d'eau tranquille, au milieu d'un espace couvert de sable blanc quelques rares pierres sombres représentant la passe de Han[11], verdoyantes et exubérantes, glacées et humides que seules les mousses froides et glissantes pouvaient escalader, quelques arbres morts, qui frissonnaient dans le vent. Depuis tout ce temps où il n'était pas venu, les bourrasques les avaient fait pencher en tous sens. Des cris de joie et des rires, des parfums capiteux filtraient des fenêtres sans carreaux, mais ces rappels de l'existence humaine lui faisaient éprouver un soudain dégoût... Dans ce coin où l'ombre régnait, le vain espoir qu'il berçait était l'apparition dans le bosquet d'une beauté, et non celle d'une femme aux vêtements grossiers, aux cheveux en bataille, parmi les fleurs.

Troublé, il suivit la lumière vers le cœur du jardin, là était la grande salle, en son centre était présenté le Bouddha de fer qui servait de faire-valoir à ce petit temple. À première vue, il s'agissait d'un seul bloc, mais si l'on regardait plus en détail, on pouvait voir les traces de l'assemblage de différentes pièces de bois. L'extrémité de chacune présentait des veines, elles étaient connectées ensemble à la perfection, à présent, le corps avait noirci, on ne distinguait plus le matériau d'origine, on aurait dit de la fonte brute qu'on aurait vernie, la statue captait la lumière mais sans la réfléchir et, pour cette raison, semblait flotter dans un espace obscur.

Mais, ce jour-là, il trouva soudain que quelque chose était différent, il s'approcha, alors il s'aperçut qu'un morceau de bois de la nuque était cassé, à cet endroit fleurissait une minuscule petite fleur, elle était si petite qu'on peinait à la remarquer, pourtant, dans la faible lueur obscure, l'éclat fragile de ses pétales attirait toute l'attention. Le vieillard n'en croyait pas ses yeux.

Mais c'est manifestement une « fleur antique »… Qu'est-ce que cela veut dire ? » se demandait-il tout ému. Voici du « nouveau » fleuri à partir du « vieux », et qui n'avait rien à voir avec ce monde qui le dégoûtait. C'était une vie nouvelle qui commençait : elle n'avait besoin ni de lumière, ni d'eau, vitales toutes deux en ce bas monde, cela relevait purement et simplement du prodige. Il en avait les joues comme rosies par le vin, ses yeux brillaient d'excitation, cette découverte impensable semblait lui avoir donné de la fièvre.

> *Où trouver les dix mille perles du vent printanier*
> *chaque branche éclaire mon ivresse confuse*[12].

Il n'avait jamais vu cette scène au-dessus de sa tête : les tuiles soulevées par le vent, le feutre bitumé déchiré, était-ce le fait de l'eau de la fonte des neiges de l'hiver dernier ou bien de celle des pluies de ce début de printemps qui, en son absence, avait goutté par les fentes du toit ? Les gouttes d'eau s'étaient infiltrées à la jonction des différentes pièces de bois de galle et, de plus, dans le vide médian formé par la paille, la balle des céréales et la terre jaune, tandis qu'une graine était tombée dans les fissures du Bouddha de fer... Telle était la provenance de cette fleur. Le sourire de cette statue du bouddha, faite d'innombrables morceaux d'arbres morts engrenés ensemble, ce sourire antique était resté le même, immobile, comme pris dans le sommeil, seule la fleur tremblait, dans l'eau qui gouttait, comme si la vue de la silhouette de ce vieillard tout ému l'avait saisie d'un rire incontrôlable qui la faisait frissonner.

Pour ce dernier, cette découverte n'était pas plaisante, bien au contraire, cette affaire devait lui être fatale. Les cryptogames qui ne fleurissent pas sont peu menacés par la mort, les tortues merveilleuses de la mer de Chine orientale n'ont jamais versé la moindre larme durant leur hibernation millénaire, mais cette simple petite fleur avait ruiné le culte rendu au Bouddha de fer.

Le lendemain, au petit matin, le vieillard quittait ce monde, sa mort marquait également la fin du rêve que j'avais fait près de ma bibliothèque.

V

LE TROISIÈME ARBRE : L'ESPRIT DE L'ARBRE

Pourquoi cinquante cordes à ma précieuse cithare
chaque touche évoque ma jeunesse.
            Li Shangyin, IXᵉ siècle, sans titre.

Dans le rêve du planteur d'arbres, même une pièce de bois antique peut fleurir et, de plus, devenir un grand arbre, cette graine d'un arbre antique qui s'éveille dans l'imagination du vieillard est désirée par l'« homme » ; et elle, tout naturellement, pense à son tour s'attacher à l'« homme »... Le rêve qui lui succède tout juste, rêve du troisième arbre, touche à ce que notre imaginaire peut produire de mieux au sujet de la vie, il apparaît à une époque idéale s'il en est, qui ne connaît ni les grandes calamités, ni les caprices du temps, ni la tourmente de la guerre... Après avoir manifesté son premier souffle de vitalité, ce rêve va s'enrichir de façon profonde et durable, jusqu'à ce que le vert contamine tout, engloutissant les premières illusions portées sur le bois de galle mort.

L'écriture chinoise n'a pas de marque du pluriel, mais elle a créé trois idéogrammes différents pour exprimer ce concept appliqué aux arbres. Le pictogramme de base représentant le bois – l'arbre – est employé seul, mais quand il est répété deux fois ou trois fois, il désigne alors respectivement le bosquet, la forêt. Dans le même ordre d'idées, dans l'esprit des gens, ces arbres inconnus sont asexués, ils n'ont pas non plus d'inquiétude à se faire au sujet de l'adage : « Qu'importe le lot de vie, un jour il faut mourir. » Ils vivent bien plus longtemps que les « humains », aussi ont-ils en tête davantage de soucis que n'en ont les hommes : ils s'entremêlent, dans la brise ils s'efforcent de montrer leur puissance ou, sur un mode incompréhensible pour les « hommes », transportés de joie, ils échangent leur expérience du temps. Pourtant, à la longue, ils finissent par éprouver de l'ennui – car après tout, il s'agit de végétaux condamnés à l'immobilité, ils se regardent, mais ne peuvent pas vraiment s'étreindre. Aussi, parmi eux, il y a des jeunes qui brûlent de l'envie de tenter l'expérience, ils voudraient plaisanter avec les humains qui se trouvent debout par hasard sous eux, satisfaire leur penchant naturel à l'amour.

(J'ai remarqué que même si les arbres sont asexués, quand ils nouent des relations avec les « humains », leur virilité se manifeste, que leurs sujets de plaisanterie tournent, en général, autour des femmes. Certaines langues semblent avoir noté le fait, c'est ainsi qu'en français le mot « arbre » est au masculin.)

Le soleil se couche, les gens voient distinctement les vieux saules au bord du lac, la brise souffle doucement, les caresse, comme elle ferait des cheveux sur le front d'une jeune fille (si l'arbre est au masculin, les branches seraient au féminin ?). La lune indifférente est dans un coin du firmament, à l'ouest le ciel est un peu rose, quelques nuages crépusculaires aux couleurs mourantes s'attardent, se meuvent lentement, les lumières de la ville bien vite vont s'allumer les unes après les autres...

Pour « elle », assise sous l'arbre, cette verdure, là sous ses yeux, est tout son univers.

Depuis l'instant où elle est née, elle a vu ce petit lac, avec, sur la rive près de sa maison, cette rangée de saules ; sur l'autre rive, se dressent des saules également – pas très hauts, mais assez pour occulter tout ce qui est derrière eux ; aussi, au bord du lac, est apparue une ville chinoise typique. Il s'agit d'un cercle de taille moyenne, au centre du cercle ne se dresse pas une haute église, ce centre est occupé par un vide, celui de l'eau, de l'ombre dense des arbres. Ici, nulle construction grandiose et majestueuse à perte de vue, mais un mur souple circulaire. Les branches couvertes de feuilles suspendues au-dessus de ce mur semblent autant de touffes de fumées ondoyantes ou bien des tentures évanescentes. Elles ne nient pas complètement le monde au-delà du mur, mais se contentent d'anéantir tout désir envers lui, sans pour autant que cela s'accompagne d'un état dépressif. Bien au contraire, les feuilles des saules, souples et courbées, tombent sur le lac, flottent à sa surface, mêlées aux algues denses, si bien qu'on ne peut plus sonder la profondeur des reflets de l'arc-en-ciel dans l'eau. Quant aux habitants de ces rivages, ils en oublient le monde au-delà du mur, s'attardent au bord du lac, les reflets des arbres ne sont pas aussi nets que ceux renvoyés par un miroir, les gens qui se penchent au-dessus de l'eau, taquinent ces mirages sous eux, plus ils s'en approchent, moins ils sont clairs et vrais – et le temps passe, plusieurs années peuvent s'écouler ainsi.

Ce sont les meilleurs moments qu'on puisse jamais vivre.

Elle est assise là-bas, tranquille, à lire. Enfin, son regard se déplace car la lumière du soir qui tombe ne lui permet plus de distinguer les petits caractères des pages, mais comme les gens des bords du lac, elle ne se presse pas de quitter l'endroit, elle regarde fixement la surface de l'eau, jusqu'à ce que la lumière allant s'assombrissant, le paysage devant elle devienne à la fois familier et mystérieux. La lune se fait de plus en plus grosse, de plus en plus claire, le ciel peu à peu s'obscurcit, seuls quelques faibles bourdonnements se font entendre. Dans le firmament, on distingue nettement plusieurs petites étoiles, alentours ne restent que les maisons aux contours vagues et mouvants et, au loin, les saules pareils à de la gaze fine, à présent, ils forment comme des sommets et des pics sombres qui ceinturent le lac. Dans le vent de la nuit, son corps las s'étire, comme font les branches des saules, mais elle est calme alors que les saules sont ardents.

Leurs branches à l'envi zèbrent l'eau, comme s'ils se pressaient vers les lointains obscurs, tramant quelque action inavouable.

À ce moment, quelques lueurs douces se diffusent de façon uniforme, elle voit sur la surface de l'eau s'avancer des vagues de lumière toutes scintillantes – ces ondulations lui font repenser soudain à ce sommeil une nuit d'été, il y a plus de dix ans, à ce moment d'hébétement à l'éveil, alors qu'elle était encore une toute petite fille… Comme toujours, elle prenait le frais au bord du lac, avec quelques enfants du voisinage, on se racontait des histoires étranges… Ces histoires, elles leur avaient été transmises par les anciens, elles étaient pour la plupart fantastiques, mais elles rapportaient toujours des faits de leur quotidien:

53

sur le rocher au bord du lac « poussaient » des grappes de champignons dont la forme faisait penser à des visages d'enfants, du sous-sol du vieux bâtiment montaient sans rime ni raison des rires étranges... Les fillettes s'amusaient à s'effrayer mutuellement, elles ne s'arrêtaient que lorsque chaque enfant ressentait la peur, dans l'ombre vaste de la nuit, venait enfin le moment où tout bruit cessait, elles levaient souvent la tête, regardaient de tous côtés, comme si de ce silence allait surgir quelque démon.

À ce moment-là, les étoiles se dispersaient dans le firmament tel du sable scintillant, le vent faisait bruisser les feuilles des saules. Elle avait regardé inconsciemment dans cette direction, là-bas, avait vu les réverbères briller hauts, d'une lumière claire, mais pourtant douce – ce qu'elle observait était si net, si réel, elle avait même perçu très distinctement les dessins sur le pied du réverbère en fonte : ils prenaient la forme d'un lotus. Sous la lampe, une bestiole volait en bourdonnant, dans le cercle lumineux au sol apparaissait une tache noire qui ne cessait de sauter. Elle se souvient aussi de ce moment où elle avait eu soudain la sensation de toute cette immensité inconnue d'elle au cœur des ténèbres, sans avoir eu besoin de la regarder, elle avait eu conscience du fait qu'elle grandissait, touchait à sa plénitude, penchait lentement vers elle... Elle avait levé la tête, soudain elle avait aperçu au-dessus d'elle un arbre qu'elle n'avait jamais remarqué auparavant. Il ne s'agissait pas d'un de ces saules ordinaires, tous semblables ; sur le moment, elle ne l'avait pas trouvé très grand, il déployait en silence, comme pour elle seule, l'ombelle de sa frondaison, les feuilles d'un vert brillant, lavées par la pluie, s'épanouissaient. À ce moment-là, un trouble s'était insinué en elle, comme si un événement merveilleux allait se produire.

Ce qui s'est passé ensuite, elle n'en a pas une idée claire car elle s'était endormie.

À présent, elle lève la tête, elle voit de nouveau sur le sol cet étrange cercle lumineux qui se superpose au clair de lune ; l'abat-jour ébréché rend le cercle imparfait, mais les bords n'en restent pas moins d'une grande netteté. La même sensation étrange l'envahit de nouveau, l'espace d'un instant, elle revoit ce pied de lampe en forme de lotus qui remonte à de nombreuses années, ses dessins si nets, ainsi que cet arbre au-dessus de sa tête. Celui-ci est maintenant un grand arbre, il est vraiment quelque peu hors du commun, le tracé de sa silhouette élégante est très net, sa couronne importante retombe jusqu'au sol, masse dansante qui fait penser à une cascade argentée. La nuit est si calme…

« Vous rappelez-vous du vénérable esprit de l'arbre ? »

Les compagnes de son enfance pour la plupart sont encore là, mais les sujets de conversation ont changé, certaines disent dans un éclat de rire :

« Vénérable, tu parles, il s'agissait d'un jeune homme ! Allons, n'avais-tu pas une envie folle de trouver un petit ami ? »

Puis elles se mettent à parler d'elles-mêmes. Elle n'éprouve aucun intérêt pour ces conversations de circonstance, elle pense simplement s'y plier pour avoir l'impression, un bref instant, de retrouver de vieilles connaissances… Tout devant ses yeux est si familier, si mystérieux.

À écouter cette légende, on criera à l'invraisemblance : un des arbres des bords du lac fatigué de se dresser là, ne supportant plus cette situation, se serait transformé en un génie des arbres, il serait sorti pour embobiner les jeunes gens ignorants, garçons ou filles, dans la rue, les inciter à perdre leur virginité. Le jour, elle trouve probablement grotesque cette histoire peu raffinée, qui circule depuis des lustres, mais les anciens, eux, y croient mordicus… D'aucuns racontent que ce génie de l'arbre se transformait en un vieillard qui sonnait les heures sur son bois creux. Cet instrument glacé était un bois de galle venu de l'arbre et sur lequel les enfants espiègles avaient tapé pendant de nombreuses années, quelques soirs, il en frappait la tête de tous les petits polissons. D'autres personnes disaient qu'il se transformait peut-être en vieille marchande de bougies et qu'il fallait vraiment prendre garde à la lumière de ces chandelles car, toujours d'après ce qu'on disait, il suffisait par mégarde d'y jeter un coup d'œil pour devenir idiot. En résumé, cette histoire évoluait en fonction de celui qui la racontait. Elle n'avait jamais quitté cette petite ville, pendant son enfance qui s'était écoulée en ces lieux, il en existait déjà une bonne dizaine de versions différentes.

Mais il lui semble que cet arbre jeune et vigoureux n'a rien de sinistre, ni d'un vieillard répugnant au visage tout ridé, il est juste un peu humide, débordant d'une vitalité qui fait peur…

Alors qu'elle est perdue dans ses rêveries, soudain, vaguement, elle entend quelqu'un, pris de panique, crier :

« Vite, regardez vite… l'arbre… il bouge pour de vrai ! »

Elle sursaute, dirige soudain son regard vers l'endroit d'où proviennent les cris : rien. Mais, au même moment, quelque chose la gratte au-dessus de la nuque, elle lève alors la tête malgré elle et reste stupéfaite : cet arbre auquel on ne parvient pas à donner un nom lui sourit, lui adresse des signes, agitant avec élégance ses branches vigoureuses. Il diffuse une lumière argentée, mystérieuse, on voit même les nervures de ses feuilles transparentes, pas très grandes. Le plus prodigieux est ce visage qui se dévoile à demi et lui sourit en la fixant du regard – c'est un jeune homme ! Les racines pleines de force essaient de se dégager du sol, secouent la terre, Oh hisse, oh hisse ! Les sons bien rythmés s'élèvent, les feuilles caressent son visage, tout ce qui émane de lui vous plonge dans un profond égarement : que compte-t-il donc faire ?

Malgré la curiosité qui la pousse, elle finit par prendre peur ; elle retient son souffle, son cœur bat la chamade, elle est tout engourdie, incapable de se mouvoir. Pour la première fois de sa vie, elle a l'impression que tout tourne autour d'elle et que ce soi qui tremble et ne peut se déplacer est bel et bien un arbre.

(L'arbre espiègle qui a réussi son mauvais coup, rit à n'en plus finir d'un rire en cascade, incontrôlable, il en tremble de tout son corps, il s'agit d'un rire que le commun des mortels entend rarement, mais, suivant les voies de transmission mystérieuses propres aux arbres, ce rire très vite se propage à tous les espaces vides où dansent les graines.)

Comme elle déplace ses mains qu'elle a plaquées sur ses yeux, elle ne voit plus rien.

« Ha, ha, qu'est-ce que tu as crié comme bêtises ! » dit la personne qui l'a interpellée.

« Il ne bouge plus… il ne bouge plus… Vous avez tous bien vu : il a bougé à l'instant !

– Hé! On ne dirait pas que tu es passée par l'université, tu avais tout l'air d'un petit gars un peu foufou, aurais-tu vu l'esprit de l'arbre par hasard? »

Ses compagnes se sont toutes endormies, le vent souffle de nouveau, venu du lac, les hauts réverbères dispensent leur lumière, comme le vieillard qui avait vu une fleur antique au milieu du Bouddha de fer, elle pense que ce qu'elle a vu a bel et bien existé.

Chers lecteurs, comme vous l'avez sans doute deviné, cette ville au bord du lac est la mienne… Mais qui d'entre vous pourrait me dire qui est ce « je »: la jeune fille assise près de l'eau ou bien l'arbre?

VI
LE QUATRIÈME ARBRE : ESCLAVE-DE-BOIS

À Hefu il n'y a pas de belle perle,
à Longzhou il n'y a pas d'esclave de bois.
Li He[13], premier poème
de la série *Ganfeng*

Cet arbre arrogant, aux noirs desseins, a le regard fixé sur le monde des humains qui marchent à quatre pattes sous lui, peu à peu il ne supporte plus sa présence. En effet, sa vanité ne cesse d'aller croissant et pour ce « moi » inquiet, ardent, les reflets dans l'eau sont trop flous, sous la jolie ombelle pareille à un dais de ce bel arbre fait d'un bois de bonne qualité, les saules vaporeux finalement ne semblent guère à leur place. Mais oui, à présent, il a quelque assurance, on est loin de ce mince filet d'espoir au cœur de la désespérance, c'est la gloire des gigantesques colonnes sur le bord des voies impériales et qui commémorent des actions d'éclat.

Finalement, dans un palais de Chang'an tout ruisselant de lumières, l'arbre devait trouver la place qui lui revenait. Contre toute attente, dans ce nouveau rêve, au regard du prestige qu'il escomptait, il avait, de façon inattendue, perdu un peu en taille. À ce moment-là, les empereurs étaient obnubilés par les questions d'échelle, on était à l'apogée du Moyen Âge, mais comme on avait trop exploité les forêts, le souverain le plus entêté aurait éprouvé bien des difficultés à trouver un bloc entier de bois de qualité. Aussi, il n'y avait d'autre solution qu'assembler le bois cœur contre cœur, fente contre fente, pour en faire un matériau composite. Il s'agit d'une technique spéciale, assortie de hautes exigences, quand elle est parfaite, en apparence on ne remarque aucun raccord, les arbres cerclés par du fer, en symétrie, donnent l'impression d'une production de la nature, de plus, les grands arbres ainsi abattus et taillés, s'ils relèvent d'un même travail que les œuvres célèbres en acier profilé emballant une structure en bois du grand maître du modernisme, Ludwig Mies van der Rohe, présentent un charme tout autre.

Ainsi, l'arbre arrogant du bord du lac n'avait plus l'occasion de se distinguer, il n'était même plus question pour lui de plaisanter comme autrefois avec les « humains », quand il éprouva des regrets, il était déjà trop tard, il ne lui restait plus qu'à traîner en silence sa misérable existence comme remplissage du vide des colonnes, dans l'attente d'un nouveau prodige.

Pendant l'ère Longshuo (661-664) Du Wan dirigeait l'agrandissement du palais de la Grande Clarté, il y eut une pénurie momentanée de grands arbres à l'intérieur des passes[14], il ne restait plus qu'à démolir l'ancienne demeure de la princesse Anguo pour remédier à ce manque de matériaux. Pendant l'ère Yonghui (650-656), la princesse était morte, sa demeure était restée à l'abandon pendant longtemps. Après de nombreuses années, encore moins de personnes étaient au courant de l'état réel de la résidence. Quand la phase de la démolition toucha la partie arrière, les artisans se rendirent compte que là, les bâtiments, dans leur ensemble, avaient été mal entretenus, ajouté à cela un terrain trop enfoncé qui gardait l'humidité à longueur d'année, aussi les bois étaient presque tous pourris, il était impossible de les réutiliser pour une nouvelle construction. Mais voilà, puisqu'on en était déjà à la moitié des travaux de démolition, il n'était pas question de s'arrêter ainsi à mi-chemin, il ne restait plus qu'à déposer, sans prendre beaucoup de soin, les grands bois de la charpente et à les remettre aux services compétents afin qu'ils fussent débités en bois de chauffage.

Alors qu'on démontait le Sanctuaire du Bouddha, Du Wan, qui était en inspection sur le chantier, remarqua sur une poutre de vagues traces de calligraphie. Il demanda qu'on apportât une échelle pour y jeter un coup d'œil, au premier regard il vit des idéogrammes minuscules et qui disaient : « Jiang Shaoyou, la quinzième année de l'ère Taihe. » Leur tracé simple et naturel différait du style de la dynastie en cours. Du Wan en fut surpris au plus haut point, Taihe était une ère dynastique (477-500) de la dynastie des Wei du Nord, la calligraphie remontait à plus de deux siècles, tandis que Jiang Shaoyou était à l'origine un chambellan et un général fier et imposant. Il avait été déchu de ses fonctions et était devenu un maître artisan célèbre de l'époque. Après avoir ôté la marqueterie de surface, toute pourrie, il examina attentivement le cœur du bois pas très grand, en fait il s'agissait du précieux « santal sang de bœuf » dont l'écorce est d'un pourpre foncé. En effet, de la coupe de l'arbre qui vient d'être abattu, coule une sève pareille à du sang, d'où son nom. Quand le bois est sec, cette sève se coagule entre les cernes en fines lignes de couleur sombre. À l'époque des Wei du Nord, on pouvait encore trouver ce type d'arbres sur la montagne Zhongnan[15], au temps de ce récit, c'était devenu quelque chose que l'on ne pouvait plus se procurer, même à prix fort.

Du Wan entreprit de frapper sur ce bois de santal sang de bœuf, il semblait collé à la charpente, même s'il bougeait, il ne s'en détachait pas, aux endroits où il y avait des tenons, le tranchant d'une lame n'y pénétrait pas. Du Wan demanda à ceux qui travaillaient sous ses ordres de le scier, à peine les dents de l'outil eurent-elles été en contact avec l'écorce que le bois se mit à grincer si fort que c'en était extraordinaire, comme s'il voulait se dérober à l'opération. Du Wan se dit qu'il y avait là quelque chose d'étrange, aussi ordonna-t-il qu'on détachât avec précaution la pièce de la charpente pourrie, il recommanda en outre de ne pas l'entreposer sur d'autres bois déjà gâtés. Cependant cette pièce de bois n'était pas grande, elle ne pouvait servir à des choses imposantes, aussi la donna-t-il à son fils Du, le Onzième jeune maître, pour qu'il en fît un automate exquis.

Le jeune homme était ingénieux, toutes les écluses des canaux de la capitale avaient été conçues par lui, l'eau y coulait sans fin à longueur d'année, ce qui devait valoir à ce système d'irrigation le nom de « Canaux des quatre printemps ». Le garçon savait que cette pièce de bois sortait du lot commun et que l'on ne pouvait se servir à la légère de la hache sur elle. C'est pourquoi le jour où il fallut passer à l'action, il brûla de l'encens et prit un bain ; puis il récita des prières à Lu Ban[16],

enfin, il informa le bois de santal sang de bœuf:
« Je ferai de toi une chose pleine de finesse. »
Quand il se servit de la hache et de la scie, le bois
ne broncha pas.

Le fils de Du Wang n'avait jamais une idée très
claire à l'avance de l'usage qui pouvait être réservé
aux objets qu'il créait. Il réfléchissait toujours
longuement sur ce point à propos de chaque
élément. Pour un bon menuisier, toute partie du
bois a son utilité. Afin d'assurer la souplesse de
l'automate, il se servit du noyau dur du bois de
galle pour faire autant de points de jointure. Pour
lui permettre de saisir des objets, il prit deux bois
naturellement souples et résistants, d'un grain très
fin, dont il fit des parties ressemblant à des mains ;
il les courba dans une eau bouillante chauffée avec
du petit-bois qui avait vieilli des années. À la jonction, il y avait une charnière qui pouvait se
bloquer automatiquement et dont le ressort était
entouré d'un nerf de bœuf, de ceux dont on se
servait à l'armée pour faire des arbalètes à tirs
multiples. Alors qu'il achevait sa création, il
constata que ce mécanisme avait des pieds, des
mains et un abdomen, que de façon inattendue il
avait un peu apparence humaine. Il se sentit
vaguement inquiet, par précaution, il ne lui fit
donc ni visage ni tête et lui donna un nom très
humble : Esclave-de-bois, pensant ainsi avoir pris
les mesures de sécurité nécessaires.

L'objet n'avait que quatre pieds de long[17], il était donc pourvu de pieds et de mains, mais ne possédait pas de tête ; le mécanisme remonté, il pouvait se mouvoir pendant deux ou trois heures. Le choix des matériaux pour réaliser cet automate avait été bien calculé, une fois l'objet terminé, un seul bois n'avait pas trouvé de destination, il s'agissait de celui portant l'inscription de Jiang Shaoyou, il n'osa pas le mettre en morceaux et, de ce bloc entier, il fit un cœur minuscule puis, sans réfléchir davantage, il le plaça dans le thorax de l'automate. Alors il invoqua l'âme de Shaoyou, l'implorant d'empêcher quelque démon de s'incarner dans l'objet. Comme il trouvait que celui-ci avait quelque chose d'anormal et qu'il fallait l'isoler dans la pièce, il chercha un autre vieux bois de santal sang de bœuf, pour lui servir de petit abri, c'était un peu étroit, mais il était pourvu d'une porte et de fenêtres, et il y avait même un petit lit en bois.

En fin de course, le Onzième jeune maître avait l'impression qu'il manquait quelque chose – en fait, il n'avait pas signé l'œuvre. Il avait beau réfléchir, il ne savait pas où apposer cette signature sans offenser le créateur. Finalement, il choisit la plante d'un des pieds de l'automate. Quand l'encre mouillée balaya le bois, l'artisan ressentit nettement des secousses dans les articulations du corps entier de l'automate, on aurait même dit des éclats de rire.

Chaque fois que Du Wang donnait un banquet, son fils produisait l'esclave de bois pour régaler les convives. Le plus merveilleux dans tout cela était un petit compartiment dans l'abdomen de l'automate, il était recouvert de quatre à cinq couches d'une membrane très fine faite avec du papier de bambou collé à de la peau de vessie de porc séchée. Quand on s'en approchait et que l'on parlait contre, la membrane était activée et entraînait le mécanisme actionnant les mains et les pieds de l'automate, selon la qualité du son, fort ou faible, bas ou haut, ténu ou rude, on obtenait vingt-quatre gestes tous différents les uns des autres. L'automate en bois pouvait aussi tenir un pinceau et tracer des idéogrammes, il en connaissait peu, mais parvenait à écrire les mots « possible » et « non », en style Shang, encore en vogue à cette époque à Chang'an.

Dans la maison de Du Wan, vivait une servante dotée d'une voix forte, elle s'appelait Sans-Pareille. Quand des invités se présentaient, c'était toujours elle qui sortait du rang, s'avançait près de l'automate pour lui parler. Quand un invité prononçait une phrase, la servante pesait la situation, puis elle lançait un mot d'ordre, l'automate y répondait de toutes sortes de façons, parfois complètement à côté de la plaque, si bien que les présents ne pouvaient se retenir de rire.

Un jour, un invité dit :

« Esclave-de-bois, viens verser à boire ! »

Sans-Pareille plaça l'alcool dans les mains de l'automate, elle le tourna dans la direction de l'invité et lui lança : « Va ! » Esclave-de-bois s'avança clopin-clopant, une fois arrivée devant celui qui avait parlé, elle ne lui offrit pas l'alcool, elle laissa lentement tomber ses bras et soudain déversa la boisson au visage de l'invité, tout le monde en resta interloqué, puis la salle entière fut prise de rire, applaudissant et criant : « C'est prodigieux ! » Quant à l'invité moqué, lui aussi se tordait de rire. Sans-Pareille pendant ce temps-là offrait vite mouchoir et serviette, s'excusant à plusieurs reprises auprès de la personne ainsi arrosée.

Un autre invité demanda :

« Esclave-de-bois, dans l'ordre des saveurs, laquelle ici est la meilleure ? »

Debout au milieu de la table, l'automate allongea la main avec raideur, puis il pivota, comme il allait s'arrêter, son bras ne s'abaissa pas du tout vers les mets, il pointa son doigt précisément sur un des convives de forte corpulence.

Une fois de plus les invités éclatèrent de rire dans la salle, si bien que l'alcool qu'ils tenaient à la main se renversa, à ce moment-là, un des convives qui avait la langue bien pendue posa la question suivante :

« Esclave-de-bois, Esclave-de-bois, tu es un homme ou une femme ? »

Sans-Pareille en resta interloquée, le Onzième jeune maître ne lui avait jamais appris cette question, mais bien que la voix fût éloignée, l'automate semblait avoir entendu. L'ordre qui suivit le laissa tout embarrassé, on lui inséra un pinceau dans la main, il traça dix idéogrammes à la file, mais aucun n'était achevé, on restait dans la limite des deux mots « possible » et « non » qui n'étaient écrits qu'à moitié. Le pinceau lui glissa des doigts, sa main ne s'éleva plus, elle courait sur la table, on aurait dit un chien aux manières adorables.

Pendant les années Zongzhang (668-670), Du Wan fut condamné à être coupé en deux par la taille, or, il se trouva que l'instrument de torture en bois qui servait à cet usage avait été conçu par son fils. Suite à la confiscation des biens familiaux, les enfants furent eux aussi entraînés dans ce malheur, ils furent bannis dans les marais pleins de miasmes de la Principauté du Sud[18]. La veille de la venue des deux policiers chargés de la sécurité du quartier, le Onzième jeune maître s'enferma toute la nuit chez lui et resta là, hébété, face à ses œuvres éparpillées sur le sol, il tourna la tête, Esclave-de-bois était assise seule dans un coin obscur – après tout, il ne s'agissait pas d'un être vivant, elle ne pouvait partager l'adversité qui le frappait. Au départ, il avait pensé la détruire, car laisser cette chose, c'était plutôt un gage de malheur, mais alors qu'il sortait ciseau et scie, le cœur de l'automate s'échappa à l'extérieur, l'artisan en fit un bond de frayeur. Il regarda attentivement et constata que le ressort du mécanisme à l'intérieur du thorax s'était détendu.

Il poussa un soupir, replaça le cœur à l'intérieur du corps de l'automate, ferma la petite porte de l'abri en bois.

De nombreuses générations se succédèrent, les gens avaient oublié Esclave-de-bois, d'ailleurs personne ne savait s'il existait encore ou non. Pendant l'ère Jianzhong (780-784), il y eut une mutinerie dans l'armée à Weizhou, l'empereur s'enfuit vers l'ouest jusqu'à Fengxiang. Dans la capitale, Zhu Bi, le gouverneur de la région, qui menait une vie oisive, fut reconnu comme chef. Les troupes rebelles occupèrent le palais Hanyuan, construit par l'empereur Wudi à l'est de Chang'an, elles y installèrent leur campement, elles y festoyaient jour et nuit. Peu après, les armées du futur roi de Qin arrivèrent les unes après les autres sous les murailles, les troupes rebelles ne faisaient vraiment pas le nombre, quelques milliers de soldats seulement, mais il n'y avait aucune cohésion parmi les hommes qui les encerclaient, ils ne songeaient pas à prendre l'initiative d'un engagement. Plusieurs mois passèrent, à l'extérieur de la ville de Chang'an régnait un silence de mort. Le peuple ne savait où aller, il ne pouvait que survivre tant bien que mal en supportant l'humiliation, le couteau sur la gorge.

Les troupes rebelles savaient fort bien qu'elles n'avaient plus guère de temps devant elles. Elles rassemblèrent tout ce qu'elles purent trouver dans le palais de la Grande Clarté, surtout des curiosités. Elles imaginèrent toutes sortes d'expédients pour demander aux concubines impériales et aux dames du palais de se produire nues, celles qui n'obtempéraient pas étaient éventrées et jetées sous le « Saule solitaire » pour y être livrées en pâture aux chiens sauvages. À la longue, les gens avaient beau puiser constamment dans le Lac Céleste pour laver à grande eau les abords de la rue, les joints entre les « pavés d'or » restaient pleins de sang humain coagulé, une odeur fétide emplissait l'air. De nombreux jours se passèrent ainsi dans un climat de folie, les servantes des fonctionnaires de la suite étaient pétrifiées de peur, ils étaient légion parmi les soldats rebelles eux-mêmes à être las de cette frénésie.

Quelqu'un découvrit alors Esclave-de-bois dans un magasin impérial du palais est. Étaient apposés sur elle deux scellés faits par les deux policiers chargés de la sécurité du quartier. Si ces scellés étaient évidemment abîmés, la signature du Onzième jeune maître sur la plante du pied de l'automate était, elle, encore visible.

Bien que plus d'un siècle se fût écoulé, contre toute attente, l'automate pouvait encore se mouvoir, une fois remonté le ressort de son mécanisme.

Toutefois, la membrane de l'abdomen qui répondait autrefois aux vibrations des voix s'était détériorée. Zhu Bi était las de jouer avec les femmes et de regarder les évolutions de toutes sortes de bêtes sauvages rares dans le parc nord. Il avait entendu dire autrefois que Zhuge Liang[19] avait fait des automates en bois représentant des bœufs et des chevaux, mais jamais il n'avait vu un objet comme celui-ci, doté de toutes sortes de mécanismes ingénieux, et dont le matériau avait si bien résisté à l'usure du temps qu'il avait même l'aspect brillant et lisse du jade brunâtre. Il le touchait, ses mains ne parvenaient pas à s'en détacher, pourtant il trouvait, à son grand regret, que l'automate ne ressemblait pas assez à un être humain.

Les subordonnés de Zhu Bi allèrent trouver le meilleur artisan de Chang'an. On racontait que la statue de Bouddha qu'il avait sculptée dans le temple de la Grande Miséricorde pour la princesse Changle semblait si vraie que même les moineaux n'osaient pas s'en approcher. L'artisan jeta un regard à l'automate et changea immédiatement de couleur, mais il savait qu'il était difficile de contrevenir aux ordres de Zhu Bi, aussi se mit-il à l'œuvre. Il restaura chaque partie du corps jusqu'à façonner une forme humaine raffinée, pourvue de pieds et de mains, très ressemblante. Il n'osa pas jeter au petit bonheur la chance les copeaux de bois obtenus lors de cette opération, il les rassembla et les déposa dans le petit abri.

Zhu Bi se contenta d'un coup d'œil et, explosant de colère, il demanda : « Et la tête ? »

Il reçut la réponse suivante : « Il y a le cœur, je crains qu'il ne soit difficile d'harmoniser le cœur et la tête. »

Zhu Bi dit : « Alors jette le cœur, et pose-lui un visage plaisant ! »

L'autre répondit : « Il s'agit d'une œuvre signée par le Onzième jeune maître, le mécanisme est ingénieux, je crains qu'il ne soit difficile d'y apporter des modifications. »

Zhu Bi dit en colère : « Si tu ne peux lui retirer son cœur, c'est le tien que je vais t'ôter. »

L'artisan, tout tremblant de peur, rapporta l'automate chez lui, il passa la nuit devant l'objet à réfléchir. Il regarda sa femme et ses enfants profondément endormis puis, finalement, se mit à l'œuvre, il retira le cœur de l'automate, il savait ce qu'il devait faire – il rogna l'inscription de Jiang Shaoyou, se servit du bois restant du cœur pour sculpter la petite partie la plus exquise du visage.

Il avait déjà presque un visage de femme… Il employa du cristal pour lui donner deux yeux resplendissants de lumière et martela une mince feuille d'or pour faire un ornement en forme de pétales sur le haut du front. L'automate était capable de danser, ses gestes étaient même plus vivants encore que ceux de l'automate du Onzième jeune maître ; elle ne savait plus tenir le pinceau pour tracer des idéogrammes, alors il lui fit des mains pareilles à celles des humains, l'artisan redoutant que l'âme de son prédécesseur ne lui fît des reproches, choisit une pièce de bois de la meilleure qualité pour faire à nouveau un cœur qu'il replaça dans l'évidement du sternum. Chose étrange, il avait manifestement bien mesuré et bien pensé le problème, pourtant, inexplicablement, le cœur était juste un peu plus petit, il ne s'accordait pas au reste comme le faisait celui d'origine.

Zhu Bi avait un automate complètement neuf, il en fut heureux au-delà de toute espérance, bien que l'approvisionnement de la ville en vivres fût presque coupé, il fit de son mieux avec les moyens du bord, il organisa un banquet, ordonna à ses généraux de venir admirer avec lui ce jouet pareil à un être vivant.

L'artisan déclencha le mécanisme, l'automate se mit à tourner sur la table en bois, elle dansait avec légèreté, ses mains avaient des gestes gracieux. Les musiciens du Jardin des Poiriers qui l'accompagnaient jouaient même avec plus d'entrain qu'ils ne le faisaient pour l'empereur précédent. Mais le plus étrange fut que, à la moitié de sa danse, elle s'arrêta, à une distance d'à peine un tiers de mètre de Zhu Bi, son doigt se pointa sans dévier sur ce général cruel, ses yeux semblaient particulièrement vides, mais au coin de sa bouche naissait un soupçon de sourire.

Zhu Bi entra dans une colère noire, il ordonna aux hommes de sa troupe : « Coupez cette main ! »

L'artisan déclencha de nouveau le mécanisme, cette fois, il remonta le ressort à fond, au risque de le casser. L'automate fit plus de tours, mais soudain, elle s'arrêta de nouveau devant Zhu Bi, la main qui lui restait désignait obstinément la même direction.

Zhu Bi coupa lui-même l'autre main de l'automate, il se retourna et informa l'artisan qui était déjà tout affaissé sur le sol que si, dans les trois jours, il ne pouvait toujours pas faire en sorte que l'automate exécute les gestes qu'on attendait de lui, on lui couperait ses mains à lui.

Ce dernier savait bien que tout était dû au cœur de l'automate. Comme dans la ville de Chang'an on ne trouvait déjà plus de bois de santal sang de bœuf, l'habile artisan se trouvait dans une impasse, il était vraiment sur le point de devenir fou. Finalement, il repensa à ce petit abri, il poussa malgré lui un long soupir de soulagement. Mais il était trop fatigué, il prévoyait de se mettre à l'œuvre la nuit précédant le second jour, mais voilà qu'il s'endormit sans avoir brûlé de l'encens, ni prié la divinité.

Et cette nuit-là, la table sous l'abri en bois émit des grincements puis s'écroula.

Esclave-de-bois et son abri tombèrent sur le sol et se brisèrent en morceaux.

VII
LE CINQUIÈME ARBRE : NANKE

*L'empereur Zhuanxu[20] serait né des eaux, mais
il vient en fait d'un mûrier creux.*
Lüshi chunqiu, chapitre « Guyue »,
« Musique antique »

Près du bureau en léthargie, mon rêve a été
balayé d'un souffle, je ne distingue plus entre les
temps troublés et les années de bonne récolte, il
me semble même qu'il n'y a aucune chronologie.
Les rêves sont dépourvus de logique, ils ne
peuvent ajuster leur orientation que selon les
directives simples qui leur sont insufflées ; de ce
fait, ils dévoilent encore mieux le désir des arbres
sur le point de mourir de sécheresse. Le planteur
d'arbres voulait un arbre qui ne mourût pas, le
rêve a donc pensé aux cryptogames, le second
arbre voulait des racines et des rejets nouveaux, le

rêve lui a donc donné la vitalité la plus riche, le troisième arbre voulait croître dans l'exubérance, il a donc arrangé cette plaisanterie ni trop légère, ni trop sérieuse entre cet arbre et un « humain », le quatrième arbre est assurément un bois de qualité comme on en voit rarement, mais il semble que pour ce dernier, le dénouement n'ait pas été des plus heureux.

En tout cas, que cela paraisse étrange ou non, les quatre premiers arbres étaient situés dans un temps bien défini et dans un espace circonscrit, mais le rêve du dernier ? Selon mon imagination débridée, ce devait être un arbre « occupant le monde entier », cette exigence inhabituelle fait si bien que ce rêve, qui au départ avait la fluidité de l'eau, va se dérouler dans la confusion, va s'emballer tout comme un film qu'on rembobine…

Quand l'objectif se stabilise, que les images brisées en déroute disparaissent, les vrais arbres ont grandi, nous sommes au Moyen Âge de l'Histoire, l'ordre humain est prospère et gigantesque. La Chang'an de l'époque, capitale des Sui et des Tang, est déjà bien loin de ce monde livré au déchaînement des cryptogames, son sous-sol est non seulement plein des vestiges des Qin et des Han, mais aussi des entités spirituelles accumulées depuis une dizaine de siècles, elle est le témoin d'une civilisation glorieuse. Le concepteur de la ville de

Chang'an, Yu Wenkai, charpentier des plus habiles, entendait laisser la nature être le gardien de cette gloire.

La première chose que dut faire Yu Wenkai pour le projet Chang'an fut d'abattre des arbres. Même si la ville après ces coupes avait encore de nombreux arbres, elle en avait cependant perdu beaucoup. Pour qu'on puisse remarquer que cette cité s'était constituée, à partir d'un monde entièrement naturel, en cent huit cercles bien réguliers, il fallut dépenser une quantité énorme de ressources tant humaines que matérielles. Mais en raison de la poussière qui tombait du ciel, pareille à de la pluie, le peuple en fut pour sa peine, d'autant plus que la capitale eut à souffrir de la sécheresse, le Ciel prenait sa revanche. En plus de l'abattage d'arbres superflus pour permettre aux grands arbres restants (essentiellement des sophoras et des saules) de se regrouper en lignes, on eut recours à la méthode de création de routes par le piétinement des chevaux. On envoya donc des cavaliers en troupe faire des allers-retours au galop afin que les herbes sauvages ne puissent plus pousser sur la grand-route où la poussière tourbillonnait, ainsi, les limites des cercles laissés avec application étaient encore plus lisibles.

Une quantité considérable d'arbres fut donc victime de l'urbanisation pratiquée par les hommes du Moyen Âge. Excepté ce bois de santal sang de bœuf, dont c'était la vocation par naissance, la plupart d'entre eux ne savaient pas qu'on choisirait leur habitat pour l'ordre humain, c'était une chose qu'ils n'auraient jamais pu imaginer. Or, ce dont Xu Wenkai avait besoin à présent était qu'ils poussent dans un ordre donné, pour former autant de cercles fermés sur eux-mêmes, comme ce petit lac entouré de saules qui n'a pas de centre précis. Or, certains cercles devaient laisser paraître un blanc bien tranché, tandis que d'autres devaient former une masse noire – c'est pourquoi, de nombreuses personnes qui prenaient le frais sans penser à mal sous les arbres au milieu des cercles en avaient été chassées.

« C'est la place du Fils du ciel, en quel honneur êtes-vous assis sous cet arbre ? »

Les gens qui prenaient le frais regardaient ce grand arbre tout à fait ordinaire à côté d'eux, ils n'étaient qu'à moitié convaincus, ils poussèrent de hauts cris. Malgré leur mécontentement, ils furent finalement chassés de là jusque dans l'enceinte du haut mur protégé par les arbres, le quotidien à l'extérieur du cercle et le rêve projeté sur l'intérieur avaient échangé leur place. Les arbres à l'intérieur de ce village avaient tous été abattus, ceux qui se trouvaient alignés sur les confins formaient une haute muraille naturelle, personne ne se souvenait de ce qu'il y avait eu autrefois dans l'enceinte. Devant une rangée de vieux arbres bien alignés, il n'y avait que cet arbre dont on disait qu'il était le siège de l'empereur et duquel, à le voir, on pensait qu'il n'avait pas pris le rang correctement, puisque, de façon inopinée, il se dressait là, abandonné, solitaire. Sur le tronc était cloué un écriteau pas très voyant :

« Grand sophora, à feuillage dense, arbre qui [était à l'origine] à la porte du village. »

Cet arbre, dont la présence allait être consignée par les historiens ultérieurs, le technocrate de service ne lui jeta qu'un simple regard pour tout règlement. Son argument pour l'abattre fut le suivant : « Cela fait désordre. » C'est alors que celui qui supervisait les travaux de planification, l'empereur Wen des Sui, l'empêcha de passer à exécution. Quand l'empereur parvint devant l'entrée de ce qui devait être son futur palais, il reconnut ce vieux sophora qui se trouvait autrefois à l'entrée du village. Il aperçut alors vaguement un des concepteurs de la ville de Chang'an, Gao Ying, assis sans rien faire sous l'arbre, l'âme du défunt lui dit : « Il faut garder cet arbre, il ne sert pas seulement d'ombrage à nos descendants, mais il est aussi, de longue date, un talisman secret, gardé caché, et qui a veillé sur le sort du pays. Et quand bien même les gens du haut d'une tour ne pourraient pas, eux non plus, entrevoir le mystère qui se cache derrière l'arbre, en le gardant, gouvernants et gouvernés se sentiront libérés. »

Selon qu'ils se trouvaient dans les cercles noirs ou dans les blancs, les arbres connurent des destins différents : bien qu'il y eût un grand nombre d'entre eux susceptibles d'être abattus dans les cercles éclaircis, les grands arbres servant à la construction continuaient d'être coupés dans le Sud, puis transportés au prix de mille difficultés jusque dans la ville, avant d'être lavés maintes et maintes fois dans la rivière torrentueuse… Pour transporter ces arbres sur les terres non irriguées, on avait fait venir spécialement l'eau de la Wei jusqu'à la porte Jinguang, tandis que, près de la ville ouest, on avait construit un petit étang, les bois étaient séchés et stockés tout près. Les arbres qui avaient l'honneur d'être spectateurs entouraient ce terrain vide, ils allaient être témoins du silence de ces bois, symboles futurs de la gloire de l'empire, ils allaient supporter au fil des ans les intempéries, jusqu'à être versés, ou bien brûlés.

Quelques autres « arbres » avaient poussé dans les cercles noirs, au début de la construction de la ville, ces arbres qui, par chance, avaient échappé à la hache, étaient la propriété privée des généraux et des hommes de mérite, comme pour le bois de santal sang de bœuf caché dans la résidence de la princesse Anguo, ils étaient sortis peu à peu du champ de vision des gens… Progressivement,

Chang'an ne fut plus ce vaste territoire peu peuplé des débuts, les cercles blancs bien sûrs étaient devenus plus blancs, et les noirs continuaient de noircir encore, ils faisaient penser au style cursif des Tang avec ses dessins en enroulement serré, jusqu'à ce que le pistil du cœur et les pétales autour ne se distinguent plus les uns des autres. Si les cercles dans leur ensemble dégageaient une impression d'ordre et de majesté, les extrémités quant à elles s'étaient développées dans l'anarchie, spontanément, sans ordre, selon une logique obscure, en dehors de tout contrôle, cette propension à l'essaimage gagnait pan après pan… Cela faisait penser à un fruit intact en apparence dont la puanteur ne se dégage pas, mais qui n'en entre pas moins doucement en putréfaction. À la surface de l'humus, années après années, lentement avait surgi partout une nouvelle vitalité… Les maîtres qui avaient été fonctionnaires pendant longtemps à la capitale, près de la large voie, avaient bâti leurs vastes demeures aux portes vermillon, poutres et piliers semblaient une forêt exubérante, des glycines sur de grands palissages succédaient à des pivoines rouges, les cerisiers aux branches entrelacées alternaient avec d'autres pivoines, le tout formant une nouvelle zone boisée. Aux confins, c'était un mur d'enceinte sinueux, élevé, de l'extérieur, on ne voyait pas distinctement le paysage de l'autre côté du mur, de l'enceinte, au-dessus des hautes salles vides et fermées, on ne pouvait apercevoir qu'une partie des monts du Sud, et encore, on n'aurait su dire à quelle distance ils se trouvaient.

Le temps s'était arrêté là, emportant en son sein toute trace des individus louches.

Le monde derrière le mur de clôture dense était un monde d'arbres, ils s'entremêlaient, partageant la ville en d'innombrables parties indépendantes les unes des autres. Dès lors, cette ville ne devait plus être matérialisée en tant que cité, la nature reprit ses droits dans le monde des humains, mais cette fois, les arbres poussèrent « au cœur » de ce monde, et non à l'écart.

Selon l'architecte Christopher Alexander : « Une ville n'est pas un arbre », même s'il devait ajouter l'explication suivante : « L'arbre de mon ouvrage *Une ville n'est pas un arbre* n'est pas un arbre vert avec des feuilles, en fait, il est le nom d'une structure abstraite. »

Mais, ainsi, d'une certaine façon, il sous-évalue l'arbre.

En fait, un arbre est peut-être bien plus complexe qu'une ville.

Chun Yufen de Dongping partageait mon point de vue. Il n'était ni le vieillard à l'agonie, abattu, ni la jeune fille des temps paisibles qui se tenait sur les bords du lac à longueur d'année, dans son monde parfait, il était à l'aise, satisfait, pratiquement aucune question importante et qu'il faut affronter immédiatement ne parvenait à l'inquiéter. Il aurait éprouvé des difficultés à imaginer l'humble tristesse solitaire du planteur sur la terre stérile du Nord.

Son monde, où le vert ne manquait pas, portait un nom dont le sens littéral était : « En paix sous le sophora. » Il se trouve que la septième année de l'ère Zhenyuan (785-805), Chun Yufen incidemment encourut la disgrâce à la salle d'audience impériale, aussi resta-t-il chez lui. Il n'aurait jamais pensé que ce malheur serait source de bonheur. Un jour, deux amis vinrent soudain lui rendre visite, alors qu'il était dans un état second, ils le conduisirent en un lieu nommé « Royaume paisible du grand sophora », là, il rencontra successivement ces « hôtes entretenus » qu'avaient été autrefois Zhou Qi, et Tian Zihua, et il eut la bonne fortune d'épouser la princesse Branche d'Or, la fille du souverain, il devint garde du préfet de Nanke.

Dans l'Antiquité, le sophora était un parasol employé pour les trois dignitaires et les six ministres, il était le symbole de l'honneur et de la renommée, celui de la haute noblesse.

La demeure de Chun Yufen dans le « Royaume paisible du grand sophora » était luxueuse au plus haut point, c'était un parc qui se reflétait dans les eaux du lac. La contenance des lacs nés de la source qui jaillissait de terre était beaucoup plus importante qu'il n'y paraissait à première vue. Après une observation minutieuse, le volume du jardin doublait sans que sa surface eût augmenté, de plus, le jardin dans l'eau était plus vrai que celui à la surface. Ceux qui étaient attirés par lui n'avaient pas besoin de tentation supplémentaire, il suffisait qu'ils se penchent pour être égarés par ce qu'ils voyaient, tout comme, dans un autre rêve, ceux qui se promenaient souvent au bord du lac entouré de saules adoraient leur propre reflet… Au milieu, il n'y avait pas de vaste étendue d'eau, cela rendait l'ensemble beaucoup plus vrai. Dans l'eau, ce qui se mouvait, c'était un jardin vert foncé, à la profondeur insondable, mais dont les directions étaient inversées : ce qui aurait dû descendre vers le fond croissait vers ce « ciel » ténébreux. « Au-dessus » flottaient des algues épaisses, tel un rideau vert, aux formes qui variaient, au-dessus encore, c'était la foule des reflets souples des arbres entourant l'étang, il y avait des lauriers, des bégnonias, des glycines, des rosiers de Banks, des acers qui cachaient le peu de ciel au-dessus du jardin… Ils s'agitaient sans fin au gré du vent.

Sans ce mur d'enceinte gardant le parc, il n'y aurait peut-être pas eu d'histoire à raconter. Le mur en lui-même ne payait pas de mine. C'était juste un mur de terre dépassant les toits, de l'autre côté, des sophoras avaient poussé serrés… Leur verdure dense s'étirait haut vers le ciel, engloutissant le monde à l'extérieur, personne ne savait ce qu'il y avait au-delà du mur et personne n'y avait même songé. Le mur de terre n'était plus entretenu depuis longtemps, une petite partie de sa surface portait encore la chaux d'origine, à la longue, elle était devenue d'un marron sale et, par endroits, tout un pan était même écaillé, montrant le corps du mur fait d'un torchis jaunâtre. On avait colmaté les brèches qui s'étaient formées avec de la boue et des lanières de bambou, on n'avait laissé qu'un trou, pas très gros, permettant tout au plus à un chien de se faufiler au-dehors.

Ce trou est la clef de l'histoire. Le jour arriva où Chun Yufen commit une faute grave, un grand malheur était proche, comme il était là au comble de l'inquiétude, il se rendit compte que ce trou à chien, qui n'avait jamais retenu l'attention des gens, était pour lui un salut dans sa fuite, il sortit par là, se retourna. Aussitôt, il eut l'impression que le monde était tout chamboulé : ce qu'il regardait était un gros trou à l'intérieur du tronc d'un sophora de sa propre demeure.

Or ce qui diffère de ce que nous pouvons imaginer est qu'il ne s'agit pas ici, une fois de plus, de sortir d'un « état de rêve », car Chun Yufen restait dans le même récit, simplement, l'espace s'était désagrégé, quant à l'histoire, elle montrait ses dessous, le « trou à chien » était ce « trou de ver » (*worm hole*) dont parlent les physiciens. Au moment où il se retournait, ce que vit Chun Yufen n'était pas seulement l'« extérieur » d'un gros sophora, il s'agissait du début d'un labyrinthe du temps, d'une entrée vers une autre vie : dans ce gros arbre, tout avait rapetissé, avait changé. Il se voyait dans le creux de l'arbre, et ce Chun Yufen qui avait connu les bonheurs et les malheurs de la vie, inconsciemment gardait son regard fixé sur ce qu'il y avait de l'autre côté du mur… Lorsqu'il était à l'extérieur de Nanke le monde à l'intérieur du trou était appréhendé en un instant, l'arbre n'était qu'un recoin du parc tout à fait habituel. Or, le temps à l'extérieur du trou, pour le personnage principal resté à l'intérieur, était incommensurable, se présentait comme la somme de vies innombrables. Si ces deux types de vie ne pouvaient se rencontrer, le regard était à tout instant à même de se mouvoir en tous sens, si bien que notre personnage en était soudain abasourdi, en proie aux illusions. Il s'agissait d'un « double regard », d'un amalgame étrange entre les sentiments que ressent l'homme mis en scène par Platon dans la caverne et ceux du héros des *Voyages de Gulliver*.

La logique de l'arbre tient à ce qu'il est une vie qui se suffit à elle-même, une vie linéaire (« L'arbre de vie est toujours vert » [Goethe]). L'arbre appartient à la verticalité du temps et non à la foule humaine concentrée au niveau du sol. Il n'a qu'un « début », il n'a pas de « lieu », aussi une simple branche peut-elle être la vie dans son intégralité, un arbre qui a été évidé (le solide bois de santal sang de bœuf connaît-il un meilleur destin ?) peut encore vivre et, de plus, chose étonnante, renferme des rêves plus grands encore.

Si l'on part de ce premier arbre, qui s'est dressé courageusement, toute signification se fait à l'aune de l'« humain », mais cet « homme » n'a pas de statut fixe, il est parfois plénitude, parfois vide, tour à tour arrogant ou humble. Cet arbre, en conséquence, peut être un morceau de bois pourri couché sur le sol ou une vaste forêt, il peut être parfois tordu et massif, ou bien exubérant et élancé. Ces variations infinies font penser à « ces raisins plein la treille » dont nous parlions à propos des galles. L'ichtyosaure ondulant, en un clin d'œil, s'est mué en un paysage calme, les fleurs à profusion se sont transformées, elles, en un autre tableau, désordonné celui-là. Or, le moment où le pêcheur de Wuling, dans le récit de Tao Yuanming[21], avait fait irruption dans la forêt de pêchers, avait finalement été bien court, et quand l'homme était ressorti de ce lieu, il n'avait jamais pu retrouver le chemin qui y menait.

Cet arbre qui occupe un monde entier est la vie humaine dans sa totalité.

VIII
« ARBRE-ÉTAI » :
« ARBRE DE L'ILLUMINATION »

Sur l'arbre

On dit de l'arbre qui monte jusqu'au ciel, de l'« Arbre-étai », de l'« Arbre sacré », qu'il est un passage faisant communiquer l'homme et le divin, pourtant sous son ombrage, nulle trace humaine. Est-il dans le Pays de toutes les merveilles ou dans les monts Kunlun, là où la reine mère d'Occident[22] se laisse entrevoir par instants ? Presque personne ne sait exactement où ils se trouvent. Le paradis décrit dans le *Livre des monts et des mers*[23] serait peut-être l'aspiration éternelle du planteur d'arbres des plaines du Nord : « Au Sud-Ouest, entre les eaux de la Hei et celles de la Qing, il y a le plateau de Duguang... » Sur cette campagne, il y a des phénix qui chantent et volettent, une végétation éclatante, une vie impérissable.

Mais comment en fin de compte se présente cet « Arbre-étai » ? Il est le symbole d'une vitalité incroyable, il a une taille exceptionnelle, il ressemble à une haute tour, avec une grande porte à neuf battants et un seuil de jade, devant elle veillent ce qu'on appelle des « animaux civilisés ». Peut-être est-il, selon le commentateur Guo Pu, « couvert de feuilles vertes, de branches pourpres, de fleurs noires et de fruits jaunes », ou, selon la même source, à moitié végétal à moitié animal. On dit que la région où il pousse est le cœur de l'univers. Cet arbre aurait plus de deux cents mètres de haut, au zénith, quand le soleil est au-dessus de sa couronne, curieusement il ne projette aucune ombre, si, debout au pied de l'arbre, on pousse un cri, celui-ci se perd immédiatement dans le vide, l'on n'entend pas le moindre écho. Bien naturellement, l'« Arbre sacré » qui peut monter jusqu'au ciel devrait avoir cette apparence.

Ce n'est pas là le monde de l'homme, cette évocation d'une nature inhospitalière que l'on trouve dans le *Livre des monts et des mers* fait penser à l'époque où les cryptogames régnaient en despotes. Si cette terre, peuplée de bêtes étranges, est parfois dépourvue de végétation, elle porte souvent des arbres extraordinaires dotés de vertus magiques. Ils représentent peut-être le monde dans sa totalité, ils sont immortels, riches de méta-morphoses infinies à vous donner le vertige ; ils ont la solidité du roc, la magnificence des nuages crépusculaires, mais voilà, l'homme, dans son insi-gnifiance, debout à leurs côtés, est si tendu qu'il en perd la parole, tremble d'épouvante…

Sous l'arbre

Sous l'arbre c'est Bodhi Gayâ. Le lieu est situé en Inde, au sud de l'État du Bihar, on raconte que Sakyamuni s'y serait rendu et qu'il s'y serait perfectionné assidûment pendant six années pleines dans une forêt avoisinante. Il s'agit d'une forêt des régions méridionales, très peu de Chinois du Nord sont venus jusque-là. Pendant la seconde guerre mondiale, un corps expéditionnaire antijaponais qui s'était replié en Inde en passant par la Birmanie, devait goûter cette redoutable saison des pluies dans ces forêts touffues. Or ce « charme des forêts » est inconcevable pour notre planteur d'arbres des étendues désertiques. On lit sous la plume d'un poète chinois : « Ces végétaux terrifiants qui poussent furieusement. » Ces derniers n'ont besoin que d'un peu d'eau pour se mettre à grandir frénétiquement, ils assimilent tous les éléments nutritifs du sol jusqu'à ce que la totalité des êtres vivants qui se meuvent sur terre devienne des ossements blanchis… Après être resté six ans dans cette forêt, Sakyamuni n'avait pas encore compris la voie de la délivrance, finalement, émacié, amaigri d'être allé ainsi jusqu'au bout de ses forces, il devait prendre la décision de sortir de la forêt et d'abandonner son perfectionnement spirituel pour aller se baigner dans le fleuve. Après avoir ôté l'épaisse couche de crasse qui recouvrait son corps, il remonta sur la rive en s'aidant des branches d'arbres, il but un chyle offert par une bergère, il arriva à Bodhi Gayâ, là, il décida de s'asseoir en lotus et de méditer sous le grand arbre de l'éveil, faisant le serment qu'il ne se relèverait que lorsqu'il serait parvenu à l'illumination totale. Il médita ainsi pendant quarante-neuf jours, enfin, par une nuit de pleine lune, il atteignit le Nirvâna, la Bouddhéité.

Aujourd'hui, les touristes défilent à Bodhi Gayâ, toutefois, où se trouve exactement l'« Arbre de l'éveil » où Sakyamuni aurait été déifié ? Ce n'est certainement pas celui que le guide enthousiaste vous aura présenté… On raconte que cet arbre de l'éveil a une apparence peu commune, qu'il resplendit de lumière aux quatre saisons, en fait, bien qu'il concerne la libération de l'être humain, il s'agit d'un arbre tout ce qu'il a de plus ordinaire, bien différent de l'« Arbre-étai ». Il perd ses feuilles en période de sécheresse, il s'agit d'un arbre de haute futaie semi-persistant des régions tropicales, au tronc très droit ; il a une écorce grise et une couronne ronde ondulée, le plus original étant ses nombreuses racines aériennes, propres aux végétaux tropicaux vivant dans un milieu humide. Grâce à de telles racines, il absorbe l'eau contenue dans l'atmosphère, et si ces mêmes racines se trouvent par hasard en contact avec le sol, elles peuvent s'enfoncer dans la terre, grossir peu à peu, devenir à la longue des « racines étais », jouant le même rôle que les troncs pour les arbres ordinaires, elles s'étagent en un réseau dense, tout comme le désirait le planteur d'arbres dans son rêve, un tel arbre doté de racines aériennes peut vraiment « à lui seul former une forêt ».

Je ne me suis jamais rendu sur le lieu-dit « Les cinq arbres », je ne suis pas davantage allé à Bodhi Gayâ. Quand je suis assis à m'ennuyer à la bibliothèque, ou bien que je fais face au soir qui envahit les énormes rayonnages, je ne peux que rêver du paysage au pied de l'« Arbre de l'éveil », il m'est impossible de l'imaginer… Mais voilà qu'un jour, une amie qui avait des connaissances en botanique passa par chez moi et aperçut, devant la porte de ma maison américaine, et cela, qui l'eût cru, un arbre de l'éveil, ou plutôt, pour reprendre ses propres termes, un grand arbre de la famille des moracées proche de l'arbre de l'éveil. En tout cas, si cet arbre est vraiment l'arbre sacré venu de l'Inde, ce sont certainement des Occidentaux qui l'ont introduit sur le continent nord-américain. Mais ne parlons pas de ces joyeux enfants du Christ, car à cet instant, je ne sais absolument pas moi-même, ou ne perçois pas le sens sacré que cet arbre peut revêtir dans une autre civilisation. Quand je le regarde depuis mon balcon, il se trouve parmi un groupe de quatre ou cinq grands arbres, ils forment un ombrage haut et dense qui occulte complètement la vue devant moi. Je ne pense pas à Sakyamuni, mais au trou dans l'arbre de Chun Yufen, je me laisse aller à la rêverie, il n'y a pas de route en fait de l'autre côté des arbres, on ne voit pas davantage de maison avec un écriteau « vendu », mais il y a une falaise immense et de l'autre côté un vaste plateau.

L'arbre en question est près de la route que je suis pour sortir en voiture. Souvent, la clef électronique du garage clignote deux secondes et, pour que la voiture derrière moi puisse poursuivre son chemin, je dois prendre un large virage juste devant lui. Bien qu'il soit tout proche, je ne fais que le voir en passant, je ne suis jamais resté vraiment dessous. Pourtant, un jour où je n'étais pas à la maison, j'ai eu ma femme au téléphone, elle devait me dire que l'arbre avait été frappé par la foudre, par une nuit de tempête, qu'il s'était brisé dans un grand fracas avant de se coucher, évitant de justesse le poteau électrique voisin. À l'annonce de cette nouvelle, je suis allé immédiatement sur la toile, espérant pouvoir localiser l'arbre sur Google Map, mais les cartes ne sont pas actualisées systématiquement, il s'agit de photos anciennes remontant, au mieux, à deux ou trois ans. Je fus cependant surpris de la différence existant entre le paysage réel et la photographie par satellite, car là où l'arbre s'était couché, il n'y avait pas l'ombrage dense que je voyais dans mon imagination, il n'y avait que des paquets de vert pareils à des brocolis, à des raisins sur le sol. Ce n'était apparemment pas du tout les abords de ma maison tels que j'aurais dû les voir, mais bien la vue, plus lointaine, que je contemplais chaque jour. Pour le coup, les liens spatiaux entre les différentes choses devenaient évidents : à côté de l'arbre, c'était des arbres, une pelouse, une route, des commerces de banlieue… un paysage banal de la campagne américaine.

Les arbres vus du ciel ne présentent aucun intérêt, sur la toundra des régions arctiques, dans le désert, les arbres balayés par les vents violents ne sont que des arbustes bas sur le sol, pareils à ces touffes de cheveux qu'on voit sur un crâne atteint par la teigne, pourtant, en fait, pour la vie qu'ils ombragent, ils sont tout.

Mais voilà, à l'heure des gratte-ciel, les arbres paraissent bien en retrait… En plus de la foudre imprévisible, il existe tant d'autres façons d'attenter à leur vie et contre lesquelles s'insurgent naïvement leurs défenseurs historiques : trop pleins, ils se fendent, vieillissent de l'intérieur, trop vides, ils risquent alors de s'atrophier jusqu'à devenir une enveloppe inutile, ceux qui ne sont pas assez touffus se désagrégeront, trop solides, ils sont menacés par l'usure. Leurs hideuses racines mortes assurément tomberont dans l'oubli parmi les broussailles, tenons et piliers tout luisants à force d'avoir été frottés, sont chargés de trop d'haleines humaines, ils finiront par être engloutis peu à peu par les termites.

Les nuages blancs égarent les vieux arbres qui ne fleurissent plus, la grue noire disparue depuis longtemps n'est plus retournée sur la terrasse vide des bords de l'eau dans les villes bruyantes.

Dans la friche du Nord sans forêts touffues, cela va sans dire, tout est inversé. Mais dans le Sud d'où venait le moine errant, l'ombre du temps s'échappe des bosquets denses, effleurant les espaces entre les arbres… Le trait de plume le plus plein est celui tracé l'été par le soleil ardent, le moment le plus soudain de la vie est le bref instant où l'eau s'évapore en grande quantité, le plus vite possible, le moment où le vert devient le plus intense est celui où les feuilles tendres des arbres se recroquevillent, flétrissent et, tout en jouissant, se consument, furtivement. Ô automne, fais-nous profiter quelques jours encore du climat du Sud.

Notre époque n'est déjà plus celle des arbres.

NOTES

1. Lit en briques réfractaires sous lequel on allume du feu (Chine du Nord). [Toutes les notes sont de la traductrice.]
2. *Récitatif de l'arbre mort*, poème de Yu Xin (515-581), un des représentants de la poésie de cour (poésie savante).
3. Su Dongpo, poète des Song (1036-1101).
4. Poète et prosateur (773-819).
5. Poète patriote (1140-1207).
6. Titre conféré à des ministres ayant rendu des services éminents.
7. Palais construit à l'est de Chang'an par l'empereur Wudi des Han (141-87 av. J.-C.).
8. Poème du recueil *Chuci* de Qu Yuan (343-290).
9. Ouvrage des Qing.
10. Phoebe nanmu, arbre dont le bois est prisé en charpente et en menuiserie.
11. Dans les monts Xiao au Henan.
12. Poème du peintre Shi Tao (1642-1718).

[13]. Poète (791-817).

[14]. Région de la Wei au Shaanxi.

[15]. Dans les provinces du Shanxi, du Gansu et du Henan.

[16]. Le patron des charpentiers.

[17]. Soit un mètre et trente-trois centimètres.

[18]. Une des six principautés tibéto-birmanes, établie au Yunnan et au sud du Sichuan depuis la dynastie des Tang, elle annexera les cinq autres en 750.

[19]. 181-234, homme de talent encore très populaire de nos jours, il fut général puis chef d'État.

[20]. Empereur légendaire de la Haute Antiquité.

[21]. Tao Yuanming (372-427), poète.

[22]. Divinité cosmique qui est devenue celle des épidémies et la reine des Immortels dans la religion populaire taoïste.

[23]. Quatre chapitres ont été rédigés pendant les Han occidentaux (206 av. J.-C.-8). L'ouvrage qui en comporte dix-huit rapporte des faits étranges, des légendes relatives à la genèse du monde, des données cosmologiques et topographiques ainsi que des connaissances courantes. Il a été commenté par Guo Pu (276-324).

L'ARBRE ET L'HOMME
par Roland Bechmann

I
LA LEÇON DE L'ARBRE

Avant de savoir lire, comme j'habitais la campagne, je plantais, et j'attendais impatiemment que de ces glands ou de ces noisettes que j'avais enfoncés dans la terre, sorte enfin un arbre. Je compris bientôt que le gland, abandonné sur le sol ou dans les feuilles mortes, donnait, parfois mieux que moi, naissance à un chêne. Mes premières lectures sont aussi accompagnées de souvenirs d'arbres. Curieux de comprendre comment les « grandes personnes » tiraient, de pages couvertes de rangs serrés de petits signes, les histoires qu'elles me racontaient, je leur posais des questions à ce sujet. Peu à peu, j'avais retenu à quoi ces signes correspondaient, appris à reconnaître des mots et finalement à lire, avec un certain nombre d'erreurs et de surprises dues aux anomalies de prononciation de la langue française. Sachant que je n'avais pas « appris » à lire, certains étaient surpris de me voir plongé dans des livres, même non illustrés, et qui, parfois, « n'étaient pas de mon âge ». Pour être tranquille, je me mussais sous l'épaisse frondaison des branches basses d'un arbre, pour dévorer les ouvrages dont je m'emparais, sans contrôle, dans la bibliothèque familiale. J'en ai tiré peu de compétences en matière d'arbres, mais je leur ai gardé une affection reconnaissante.

Ayant reçu un complément d'enseignement, j'entrai en classe de septième, au lycée. J'avais récolté, par mes lectures, des bribes de culture si disparates… qu'elles me rendirent des services jusque dans des examens universitaires. Mais ma première expérience de l'Éducation nationale prit la forme inattendue d'un arbre.

Dans un trou de mon pupitre dont le dessus était légèrement incliné vers moi, se trouvait un godet de porcelaine rempli d'un liquide noir, dans lequel je devais tremper une plume Sergent-Major pour écrire sur mon cahier. Jamais je n'avais utilisé un tel instrument, depuis que j'avais su tenir un crayon pour dessiner sur le verso vierge des « bleus » périmés de l'atelier d'architecture de mon père qui, comme des plantes en serres, avaient été exposés au soleil, dans des châssis vitrés, où les dessins, tracés sur les calques posés sur les

feuilles de papier sensible, se reproduisaient mysté-
rieusement en traits blancs sur fond bleu, le verso
de ce papier demeurant blanc et disponible pour
mes griffonnages. Je ne manquais donc pas de ces
supports de mon inspiration, me trouvant être
l'intermédiaire entre l'atelier et la poubelle où ces
feuilles terminaient leur carrière.

Voyant ces outils de travail manipulés avec
aisance par mes voisins, je plantai hardiment dans
l'encrier le porte-plume qu'on m'avait remis. Et
devant moi, sur la feuille de mon cahier d'écolier,
posée sur la pente du pupitre et, jusque-là, imma-
culée, je vis alors se dessiner, du trou de l'encrier
jusqu'au bord du pupitre, ce qui apparaissait
comme… l'ombre d'un arbre. Il y avait un tronc
d'où se détachaient des branches, à leur tour
subdivisées en rameaux ; et mes doigts, en essayant
d'arrêter ces coulures pour protéger mes
vêtements, avaient imprimé comme des feuilles.

Cette œuvre d'art provoqua un fou rire général
parmi mes condisciples, et entraîna le professeur,
heureusement indulgent et psychologue, à m'apprendre le mode d'emploi de la plume et de
l'encre.

Jusqu'alors je dessinais des maisons, des personnages, des voitures, des bateaux, des aéronefs, mais
il n'y avait encore eu que des arbres schématiques,
et cela ouvrit de nouveaux domaines à mon inspiration. Je me mis à m'intéresser autrement aux

arbres et à réfléchir à la façon dont, à l'instar de cette image née miraculeusement de l'encrier, se développait, à partir d'une terre nourricière, une petite pousse qui se transformait peu à peu en tronc, donnant naissance à des branches, à des rameaux, puis à des feuilles et parfois à des fleurs et à des fruits.

L'année suivante, en sixième, je commençai le latin. Voyant imprimée sur la couverture cartonnée de mon cahier de classe, la devise *Labor omnia vincit* (« Le travail vient à bout de tout »), je grattai la couverture et je transformai, de façon aussi indécelable que possible, le premier mot *labor* en *arbor*, ce qui donnait : « L'arbre vient à bout de tout. » En faisant ce travail, je ne me doutais pas qu'à peine quinze ans plus tard, sous l'occupation allemande, ayant, pendant des mois dans les forêts du Vercors, vécu parmi les arbres et appris à les abattre, au passe-partout et à la cognée, j'allais, avant d'entrer dans la Résistance armée et le combat, utiliser ce talent de faussaire pour fabriquer des faux papiers et sculpter des faux cachets, pour des résistants, des aviateurs alliés tombés rescapés et d'autres personnes recherchées par l'ennemi et ses collaborateurs.

Au lycée, avec l'apprentissage de l'ordre qu'on tenta de m'inculquer, je rencontrai les vertus de l'arborescence qui permet un classement méthodique, du général au particulier, auquel même l'ordinateur nous contraint aujourd'hui. L'arbre reste ainsi à travers les siècles un exemple pour l'esprit de méthode, et le vocabulaire en a conservé l'image. Si la papauté est le tronc de l'Église, on parle de ses diverses branches, de ses ramifications. Et l'Église tire aussi une partie de ses moyens de ce qu'on appelle, en français, des « troncs », jadis taillés dans cette partie des arbres, évidée pour recevoir les dons des fidèles, et, peut-être, pris de préférence dans ces arbres dont l'Église s'efforçait de faire disparaître le culte. Quoi qu'il en soit, on peut remarquer que, dans la Bible, il est écrit que, le troisième jour de la Genèse, furent créés les arbres fruitiers, mais qu'il n'y est pas fait mention des autres arbres, ceux de ces forêts dont l'exploitation inconsidérée contribue, aujourd'hui, à mettre en péril l'équilibre du climat de notre planète. Sont-ils donc une invention du Diable ? Pourtant c'est l'arbre à fruits qui jouera un rôle désastreux : « La femme vit que l'arbre était bon à manger et agréable à la vue et qu'il était précieux pour ouvrir l'intelligence », nous dit la Bible. Et l'on sait ce qui s'ensuivit.

Toutefois, l'arbre à fruits n'a pas entraîné que des conséquences regrettables. Ainsi, toute la théorie de la gravitation est née de la chute d'une pomme qu'observa Newton, qui devait trouver l'abri d'un arbre favorable à la réflexion. Et c'est en ayant cherché à deviner le point de chute d'une poire qu'au XIIIᵉ siècle, Villard de Honnecourt a dessiné, dans son célèbre carnet, comment déterminer, par une méthode géométrique, l'aplomb d'un objet inaccessible, tel qu'une flèche d'église, ou la clef d'une voûte d'ogive.

Quoique ces arbres semblent avoir été oubliés dans les premiers jours de la Création, des passages ultérieurs de la Bible montrent l'utilité des espèces qui fournissent le « bois d'œuvre », depuis le *gopher,* ce bois qui servit à Noé pour construire l'arche, jusqu'aux cèdres du Liban et aux cyprès que le roi de Tyr, Hiram, fournit au roi Salomon, pour la construction du temple de Jérusalem.

La symbolique de l'arbre est évoquée aussi dans la Bible, avec l'arbre de Jessé, cet arbre généalogique, qui a inspiré de nombreux artistes pendant des siècles. Mais on connaît mieux les quatre vers de Victor Hugo que le passage de la Bible, avec lequel le poète prend des libertés, en attribuant la vision en rêve de cet arbre à Booz, père de David et grand-père de Jessé.

Et le songe était tel que Booz vit un chêne
Qui, sorti de son ventre, allait jusqu'au ciel bleu
Une race y montait comme une longue chaîne
Un roi chantait en bas ; en haut mourait un dieu.

L'arborescence est à la base de la plupart des méthodes de classement logique. Nos ordinateurs en donnent un exemple par ce cheminement depuis le tronc jusqu'au moindre rameau, et jusqu'à la feuille ou le fruit que l'on recherche, mais ils permettent aussi d'aller directement au but, comme l'oiseau qui vole à travers les branches jusqu'à son objectif.

Ce mot de « méthode », on ne peut s'empêcher de l'associer à l'auteur du *Discours* sur le même sujet. Je me suis alors aventuré dans ce texte fameux de Descartes, en y cherchant… un arbre. C'était une hypothèse, qui me paraissait logique. Toutefois, dans la forêt de ce texte touffu, dans lequel je n'avais pas pénétré depuis plus d'un demi-siècle, je ne trouvai rien. Je ne prétends pas penser à la façon de ce philosophe, mais cela me décevait, et je m'entêtai. Enfin, dans les *Méditations* de Descartes, j'eus la satisfaction de voir mon intuition justifiée. Voici ce qu'écrit le philosophe :

> *Ainsi toute la philosophie est comme un arbre, dont les racines sont la métaphysique ; le tronc est la physique, et les branches qui sortent de ce tronc sont toutes les autres sciences, qui se réduisent à trois principales, à savoir la médecine, la mécanique et la morale ; j'entends la plus haute et plus parfaite morale, qui, présupposant une entière connaissance des autres sciences, est le dernier degré de la sagesse. Or comme ce n'est pas des racines ni du tronc des arbres qu'on cueille les fruits, mais seulement de l'extrémité de leurs branches, ainsi la principale utilité de*

la philosophie dépend de celles de ses parties qu'on ne peut apprendre que les dernières.

Descartes classe les sciences principales dans trois catégories : *médecine, mécanique, morale* : on peut être surpris de cette liste, mais, sous ces dénominations, on retrouve nos trois catégories générales — *sciences physiques et naturelles, sciences mathématiques, sciences humaines et sociales*. Le vocabulaire et le centre d'intérêt principal ont changé ; les frontières sont difficiles parfois à déterminer, perméables ou fluctuantes, et surtout les interférences sont mieux reconnues aujourd'hui où l'écologie a contribué à montrer comment, dans la nature, tout se tient.

Il arrive que, dans un arbre, des branches provenant d'un autre arbre tout proche, se touchent, puis se soudent, comme on trouve une citation d'un autre auteur greffée à un texte. Et, comme les publicités qu'il faut éliminer de l'ordinateur, des plantes parasites envahissent les arbres qui doivent, eux aussi, se défendre contre des virus. Et, à l'instar des agronomes, les informaticiens créent des hybrides qui réunissent des propriétés de différentes espèces.

Ainsi, comme nous le montrent les ordinateurs, les arbres restent un modèle d'organisation et de méthode, mais avec la merveilleuse fantaisie de la nature, grâce à laquelle aucun individu, aucun arbre, laissé à lui-même, n'est identique à un autre, malgré les Le Nôtre et les La Quintinie, qui, dans les parcs des châteaux, font de certains arbres, en leur taillant des uniformes, tous sur le même modèle, des soldats alignés, aux ordres du Roi Soleil, Louis XIV.

II
LE CULTE DES ARBRES

La vénération qui jadis, dans la plupart des civilisations, entourait les vieillards, témoins et transmetteurs d'expérience, de génération en génération, se portait tout naturellement aussi sur certains arbres, remarquables par leur longévité, leur aspect, leurs dimensions. Il prenait souvent la forme d'un véritable culte qui paraît tout à fait justifié car, sur notre planète, les êtres vivants les plus grands et ceux qui atteignent le plus grand âge sont des arbres. Certaines espèces datent de plus de cent millions d'années comme le *gingko biloba*, apparu au jurassique il y a cent cinquante millions d'années, dont un exemplaire fut découvert au Japon, à la fin du XVIIe siècle, et qui s'est depuis répandu en Europe. On a découvert depuis, en Chine, trois exemplaires d'un arbre, qui a été appelé *metasequoia*, dont on avait identifié des restes fossilisés en 1941, et dont on croyait l'espèce disparue depuis cent trente millions d'années. Les séquoias de Californie dont certains ont plus de cent trente mètres de haut, dépassent trois mille ans, et ont jusqu'à trente-six mètres de tour, à la base. L'*Eucalyptus regnans* d'Australie dépasse cent cinquante mètres. En France, peu d'arbres atteignent cinquante mètres mais on y rencontre quelques arbres datant de la fin du Moyen Âge et beaucoup qui ont plusieurs siècles d'âge. Certains ont pris des dimensions considérables. À Treignac, en Corrèze, un chêne, disparu au début du XIXᵉ siècle, avait plus de dix-huit mètres de tour. Le chêne de La Mothe, en Lorraine, disparu au début du XIXᵉ siècle, et dont le tronc avait sept mètres de circonférence, datait du XIIᵉ siècle. D'autres arbres, de dimensions analogues, comme le chêne d'Haguenau en Alsace, mort en 1914, qui mesurait sept mètres soixante de tour, à hauteur d'homme, le tilleul d'Oricourt en Haute-Saône, le chêne de Malachère, dans la même région, devaient avoir à peu près la même ancienneté. Certains seraient plus vieux encore, comme le chêne de Châtillon-sur-Seine qui aurait été planté en 1070. Pour d'autres, datant des XVᵉ et XVIᵉ siècles, la date de plantation est établie par des textes.

En général, ces arbres étaient, à l'origine, des « baliveaux », sélectionnés parce qu'ils présentaient le plus de qualités intéressantes pour la reproduction, à l'instar des étalons en matière de chevaux. Laissés en place de génération en génération, ils étaient entourés du respect de tous et, souvent, recevaient un nom propre. Certains avaient un rôle particulier, comme le chêne de Vincennes à l'abri duquel Saint Louis rendait la justice. On a gardé trace, dans l'Histoire, de l'orme gigantesque de Gisors sous l'ombrage duquel se tenaient les entrevues entre le roi de France et le duc de Normandie, devenu en 1066 roi d'Angleterre. Dans sa *Philippide*, un poème en latin, Guillaume le Breton mentionne cet arbre « que huit hommes pouvaient tout juste étreindre en se touchant les doigts ». Mais en 1188, les Français, à la suite d'un différend qui les avait opposés aux Anglais, lesquels s'étaient mis à l'abri derrière les murs de la ville, s'en prirent, en représailles, à l'orme fameux qu'ils mirent en pièces, ce qui mécontenta le roi Philippe-Auguste, qui s'écria : « Suis-je venu ici pour faire le bûcheron ? » Et lorsque le roi fut devenu maître de la Normandie, elle avait ainsi perdu ce vénérable et précieux monument naturel.

Parfois lié au vieux culte des sources et des fontaines, la vénération dont bénéficiaient certains de ces arbres tenait aussi à diverses vertus que la tradition leur attribuait : propriétés médicinales de leurs feuilles, de leurs fleurs ou de leur écorce, ou même des pouvoirs d'ordre différent, qui n'étaient d'ailleurs pas attachés qu'à des arbres ayant un âge exceptionnel. En effet, lorsque au bout de quelques centaines d'années, un de ces arbres décédait, souvent, un arbre voisin de même espèce, né de sa semence, héritait, dans la vénération populaire, des pouvoirs traditionnellement attachés à l'arbre disparu, et le remplaçait.

L'Église s'est efforcée, pendant des siècles, d'éradiquer ces croyances. Dès les débuts du christianisme, des mesures sont prises pour combattre les superstitions païennes. Le canon 23 du concile d'Arles, en 452, rappelle les évêques à leur devoir : « S'il se trouve que, sur le territoire d'un évêque, des gens infidèles à leur foi allument des petites torches ou vénèrent des arbres, des fontaines ou des pierres, et que l'évêque néglige d'extirper cette superstition, que celui-ci sache bien qu'il est coupable de sacrilège. »

Les interdictions, les excommunications, les sanctions ne parvenant pas à éliminer ces superstitions populaires, l'Église a cherché, comme pour les fêtes liées aux saisons, à les recouvrir d'un vernis chrétien, en reliant ces arbres à un événement légendaire, faisant intervenir un saint. Par exemple, le chêne de Landeleau, en Bretagne, aurait servi de refuge à saint Télo, poursuivi par une meute de chiens lâchés contre lui par le seigneur local.

Bien peu de ces saints ont leur place dans le calendrier mais, s'agissant de saints… bons catholiques, l'Église locale pouvait fermer les yeux sur la vénération de ces arbres, qui remontait, comme pour les sources et les fontaines, à des traditions bien antérieures à la christianisation et restées ancrées dans la tradition populaire. Ainsi, à Veynes, dans les Hautes-Alpes, au Moyen Âge, les jurats devaient prêter serment de faire respecter l'intégrité d'un petit bois réputé être un ancien *lucus* gaulois – un bois sacré. D'autres bois en France ont aussi cette réputation, mais sans qu'on en ait des preuves décisives.

Nombreux sont les anciens arbres sacrés dans lesquels ont été insérées des chapelles, ou des niches contenant des statuettes pieuses. Ainsi, près de Mailly, dans l'ancien duché de Bar, un chêne transformé en chapelle abrite, dans son tronc, une niche consacrée à la Vierge. Au temps de Jeanne d'Arc, on célébrait des messes près de Domrémy, devant l'« Arbre aux Fées ». Le culte des arbres se limite rarement à des prières : il se manifeste généralement par des messages ou des objets accrochés à l'arbre par les personnes qui souhaitent voir exaucer un vœu – mariage, réussite à un examen, guérison d'une maladie, retour d'un voyageur ou d'un disparu, etc. Certains de ces *ex-voto* témoignent de la reconnaissance du solliciteur pour un vœu exaucé.

Pour certains arbres, ce sont parfois de gros clous qu'il est coutume d'enfoncer dans le tronc. Non loin d'Angers, c'est le cas du Chêne Lapalud. À Bonnœuvre, en Loire-Atlantique, il faut – à l'instar de Josué à Jéricho – faire sept fois le tour du chêne avant de planter le clou porteur du vœu. Dans la forêt d'Orléans, se trouve le fameux « Chêne Ferré » sur lequel tous les compagnons, charpentiers, menuisiers, charrons, qui passaient, plantaient un clou, pour réussir leur pèlerinage à Compostelle, ou l'entreprise dans laquelle ils s'étaient engagés. Des pratiques d'envoûtement recourent parfois aussi à des arbres. Près de Hasnon, dans le département du Nord, il y a, non loin d'une petite chapelle, un « arbre à loques » aux branches duquel des « pèlerins » viennent accrocher des morceaux de chemises, des chaussettes ou des pansements afin d'obtenir la guérison de la maladie dont souffre l'utilisateur du vêtement.

Les « troménies » – il y en a trois en Bretagne – sont des processions annuelles au cours desquelles les participants parcourent, parfois sur la limite d'un bois sacré antique, devenu domaine d'un monastère, un long circuit jalonné par des chapelles, des croix, des statues. Au cours de la « troménie » de Landeleau, les participants n'oublient pas, à la fin du trajet, de prélever des fragments d'écorce au chêne de saint Télo, le saint patron de la ville. Ces morceaux sont considérés comme des talismans – pour éviter les maladies, les accidents, les incendies, pour réussir un examen, ou même pour gagner à la loterie. Un évêque de Quimper avait stigmatisé, en chaire, cette superstition, tolérée par le curé. Mais l'évêque reparti, les fidèles, en parcourant le circuit, ne manquèrent pas de prendre leur morceau d'écorce. Cette coutume, comme déjà dans le passé, doit même survivre à cet arbre qui, quelque temps après, s'est abattu – peut-être à cause des blessures qui lui étaient infligées par ces prélèvements qui ont pu favoriser l'attaque de champignons parasites qui a causé sa chute. Pendant quelques années, c'est sur l'arbre abattu que les prélèvements seront opérés ; puis, comme déjà dans le passé, la population élira un arbre voisin, de la même espèce, né des œuvres du défunt, pour pérenniser la tradition.

Ainsi, le culte des arbres était, avec celui des eaux et des sources, la plus résistante des innombrables superstitions que l'Église a cherché, pendant tout le Moyen Âge, à extirper. La population ressentait peut-être, plus ou moins consciemment, le rôle bienfaisant des arbres, dont nous sommes tout à fait, et rationnellement, persuadés maintenant. Nos laboratoires ont appris, aussi, à partir du savoir empirique de populations encore proches de la nature, l'intérêt de beaucoup d'arbres et d'autres végétaux pour en tirer des médicaments efficaces… et des profits.

Les pratiques, héritées d'un passé immémorial où l'homme était encore proche de la nature, inquiétaient vivement l'Église. Au XIe siècle, le moine Raoul Glaber rappelait : « Qu'on prenne garde aux formes si diverses des supercheries diaboliques et humaines qui abondent de par le Monde et qui ont notamment une prédilection pour ces sources et ces arbres que les malades vénèrent sans discernement. » À la même époque, un célèbre juriste, Burchard, évêque de Worms, publia sous le titre *Le guérisseur* un extrait de son recueil de législation canonique, qui est une tarification des pénitences. Dans ce témoignage, très instructif des mœurs et des croyances de l'époque, les arbres tiennent une grande place. Ainsi, Burchard s'élève contre ceux qui vénèrent les arbres, font leurs prières à côté d'un arbre plutôt qu'à l'église, y accrochent des objets magiques, ou y allument des cierges. Il mentionne aussi l'utilisation, pour des pratiques magiques, de rameaux. De fait, ne pouvant en détourner le peuple, l'Église instaura une fête, liée, dans le calendrier, à celle de Pâques – le dimanche des Rameaux. Les feux de la Saint-Jean, où l'on brûle des arbres, au printemps, rappellent les vieux cultes du solstice. Le solstice d'hiver, le 25 décembre, qui annonce le rallongement des jours, est fêté comme anniversaire de la naissance de Jésus. Et le gâteau traditionnel, la bûche de Noël (nom qui rappelle le *nouvel* an), est un souvenir du bois de feu auquel chacun avait droit à l'entrée de l'hiver.

Les divinités païennes des arbres – nymphes, faunes, dryades – ont toujours été une source d'inspiration pour les poètes imprégnés de culture classique. Tout d'abord, trop connu, mais difficile à ne pas citer, Ronsard :

> *Escoute, bûcheron, arreste un peu le bras !*
> *Ce ne sont pas des bois que tu jettes à bas,*
> *Ne vois-tu pas le sang, lequel dégoutte à force*
> *Des nymphes qui vivaient dessous la dure escorce ?*

Et, quelques siècles plus tard, Alfred de Vigny :

> *Et la dryade aussi, comme l'arbre, a vécu*
> *Car tu le sais, berger, ces déesses fragiles…*
> *Sous l'écorce d'un bois, où les fixe le sort,*
> *Reçoivent avec lui la naissance et la mort.*

Pour Tristan l'Hermite, la sève est le sang des arbres eux-mêmes :

> *Ce vieux chêne a des marques saintes*
> *Sans doute, qui le couperait,*
> *Le sang chaud en découlerait,*
> *Et l'arbre pousserait des plaintes.*

Après plus de mille ans de lutte, l'Église, ne pouvant prouver l'inexistence de ces êtres mystérieux, elfes, fées, lutins, kobolds, auxquels on attribuait des phénomènes qu'on n'expliquait pas, comme les « ronds des fées », et admettant implicitement leur réalité, les avaient classés comme des manifestations du Diable – le Satan de la religion officielle – et la mission incombant au clergé était de les exorciser et de les chasser.

Mais ces êtres mythiques, présentés comme démoniaques, paraissaient à beaucoup de gens des campagnes, plus familiers et plus proches de leur vie quotidienne, que les entités abstraites qu'étaient pour eux le Père, le Fils, le Saint-Esprit, la Sainte Trinité, et sainte Marie à la fois vierge et mère, dont leur parlaient ces prêtres dans une langue qu'ils ne comprenaient pas. Et plus proches d'eux aussi étaient ceux qui étaient soupçonnés d'avoir commerce avec ces créatures diaboliques liées aux arbres, d'être des sorciers, et notamment les hommes des bois – charbonniers, braconniers, bûcherons. Tous risquaient, au moindre soupçon, sur une dénonciation, d'être poursuivis et soumis à la question. Les procès et les condamnations des sorciers et des sorcières n'ont jamais connu de pause, ni à la Renaissance, ni à l'époque classique, ni même au siècle dit « des Lumières ». Leurs aveux, obtenus sous la torture, étaient, pour la population comme pour leurs juges, une confirmation de l'existence de ces êtres diaboliques que l'Église combattait, et confortaient les superstitions populaires. Ainsi, les paysans redoutaient d'autant plus ceux qui avaient la réputation d'être des sorciers, craignaient de les indisposer, et s'efforçaient de se les concilier.

Certaines espèces d'arbres – laurier, olivier, chêne, myrte – ont conservé à travers les âges des significations symboliques. C'est avec des couronnes de laurier qu'on honore les lauréats dont le titre même vient du nom de l'arbre dont, aux jeux Olympiques, les feuilles ornaient jadis la tête du vainqueur, et les lauriers sont dans le langage courant restés associés à la réussite, dans tous les domaines. Les palmes sont restées la marque officielle de distinctions particulières. Les palmes sur le ruban de la croix de guerre indiquent les citations à l'ordre de l'armée, et c'est avec les palmes académiques qu'on décore les professeurs. Les feuilles de certains arbres ornent les képis des généraux, les couvre-chefs des préfets et de divers fonctionnaires de haut grade. L'habit vert de l'Académie française emprunte aussi aux arbres ses ornements végétaux.

L'arbre, par la longévité de certains spécimens, est associé à l'idée de mémoire et il n'est pas surprenant que certains ornent les cimetières et qu'ils aient inspiré écrivains et poètes.

Ainsi Valéry, dans *Le cimetière marin* voit dans les cyprès des flambeaux :

> *Ce lieu me plaît, dominé de flambeaux,*
> *Composé d'or, de pierre, et d'arbres sombres,*
> *Où tant de marbre est tremblant sur tant d'ombre*
> *La mer fidèle y dort sur mes tombeaux.*

Jean de La Fontaine, parlant du chêne, le décrit ainsi :

> *Celui de qui la tête au ciel était voisine,*
> *Et dont les pieds touchaient au royaume des morts.*

Alfred de Musset souhaite qu'un saule pleureur abrite sa tombe :

> *Mes chers amis, quand je mourrai,*
> *Plantez un saule au cimetière.*
> *J'aime son feuillage éploré*
> *La pâleur m'en est douce et chère*
> *Et son ombre sera légère*
> *À la terre où je dormirai.*

Enfin, on peut même citer… le marquis de Sade. Sensible, lui aussi, au mythe de l'arbre, symbole du souvenir, mais affectant de mépriser la renommée, mort le 2 décembre 1814 à Charenton, il spécifiait dans son testament que la terre recouvrant son cercueil soit semée de glands, afin qu'un taillis y pousse et qu'ainsi les traces de sa tombe « disparaissent de la surface de la terre, comme je me flatte que ma mémoire s'effacera de l'esprit des hommes ».

III
L'ÉCRITURE ET LA MÉMOIRE

Les amoureux qui gravent leurs initiales dans l'écorce d'un arbre laissent ainsi un témoignage qui a des chances de leur survivre et qui peut-être sera plus durable que leurs propres liens. Ronsard qui veut pérenniser son amour pour Hélène de Surgères y parviendra mieux par le sonnet qu'il lui dédie, qui laissera plus de traces dans la mémoire des hommes, que les caractères qu'il aura gravés sur l'arbre – et qu'il imagine grandissant avec le développement de l'arbre.

J'ay gravé sur le tronq nos noms et nos amours
Qui croistront à l'envi de l'escorce nouvelle.

Mais ce geste de prendre un arbre pour témoin, en y gravant des caractères, est à rapprocher des liens particuliers qui existent entre les arbres et les hommes au point de vue de la mémoire et de l'écrit. Le mot même de « caractère » a une évolution intéressante ; *character* en latin (dont l'anglais a conservé l'orthographe) est un mot qui vient du grec ; il désignait les marques au fer faites sur les bestiaux, et a été appliqué à l'instrument utilisé pour cela, puis aux signes eux-mêmes sur de l'écorce, de la pierre ou du papier. Il a qualifié ensuite les traits particuliers qui distinguent une personne, une œuvre, un « style ». Et ce dernier mot a désigné, à l'origine, un instrument agricole, puis l'outil (*stilus*) pour écrire sur une tablette (dont on a fait « stylo » pour le porte-plume à réservoir des années 1930). Pour Cicéron, *Stilus est dicendi opifex* (« le *stilus* est l'ouvrier de la parole »).

Platon conte dans *Phèdre* que, lorsque le dieu Thot, inventeur de l'écriture, présenta son invention au roi d'Égypte, celui-ci l'aurait mis en garde contre cette innovation redoutable qui aboutirait à faire perdre aux hommes l'usage de la mémoire, devenue inutile. Mais on n'arrête pas le progrès, même s'il doit être à l'origine de grands désastres, et, un peu partout, des peuples se dotèrent d'une écriture. Et, quels que soient les moyens modernes de mémorisation, l'essentiel pour la transmission de la pensée reste l'écrit : lire, écrivait, au XVIIe siècle, l'écrivain et poète espagnol Francisco Quevedo y Villegas, c'est *écouter les morts avec les yeux* (*Escuchar a los muertos con los ojos*).

Une autre façon d'écouter les morts, c'est l'arbre qui nous la montre. En Israël, on plante un arbre à la mémoire d'un « juste » dont on veut honorer la mémoire. En souvenir des combattants tombés pendant la guerre de 1914-1918, on a planté des milliers d'arbres, près du mont Aigoual, sommet des Cévennes. Aux Pays-Bas, toute une partie de l'opinion publique s'oppose à ce qu'on abatte un arbre qu'Anne Frank aimait et qu'elle cite dans son carnet. Pour marquer un événement, dans la mémoire populaire, on plante aussi parfois des arbres Ainsi, en France, à la chute de l'Ancien Régime, sous la Révolution, en 1790 – et à nouveau en 1848 –, on a planté un peu partout des « arbres de la Liberté ».

En fait, la mémoire de l'arbre est effectivement matérialisée dans ses couches concentriques qui enregistrent tous les événements affectant son environnement. Dans des arbres plusieurs fois millénaires de l'Amérique du Nord, on trouve trace des incendies, des modifications du climat, mais aussi des éruptions volcaniques dont les retombées ont marqué ces « livres de bord ». Mais, comme le livre de bord d'un vaisseau naufragé, cette mémoire est plutôt un testament car ce n'est que l'arbre ayant été abattu qu'on peut en prendre connaissance.

Les liens entre l'arbre et la mémoire empruntent bien des aspects. Dans des pays où l'arbre était pour l'homme le cadre de vie et le matériau indispensable de la vie quotidienne, mais aussi, par le feu, le moyen de survivre, l'écrit, qui permet de constituer une mémoire matérielle et, sinon objective, du moins plus fiable que la fragile mémoire de l'homme, a, depuis l'alphabet jusqu'au livre, des rapports avec l'arbre. Ainsi en est-il des « runes », ces caractères d'origine nordique, qu'en France, les enfants ont pu connaître par Jules Verne, s'ils lisent encore ses livres. Les runes furent en usage jusqu'au Xe siècle, dans les îles britanniques et l'Irlande, et jusqu'au XIVe siècle en Scandinavie (pour ne s'éteindre, selon le linguiste Marcel Cohen, qu'au XXe siècle).

Les vingt-deux premières lettres de cet alphabet portaient les noms d'arbres dont la dénomination commençait par le son représenté, comme si les lettres A, B, C de notre alphabet se disaient acacia, bouleau, coudrier, etc. C'est aller plus loin que dans les abécédaires, où l'on aide les enfants à mémoriser les caractères en les illustrant par la représentation d'objets ou d'êtres divers, dont le nom commence par telle ou telle lettre, mais quelquefois avec des figures dont le nom commence par un caractère dont la forme évoque l'objet illustré. Et l'étymologie des mots nous rappelle parfois les incisions sur bois des premières écritures : ainsi les mots qui, en français, désignent gravure, graphique, grammaire, orthographe, etc., et greffe (qui désigne une opération sur un arbre, mais aussi le local de l'officier de justice qui écrit : le greffier) proviennent d'une commune racine – le verbe grec écrire. Et le poinçon pour graver sur bois, ou sur une tablette de cire s'appelait *graphium* en latin).

L'arbre intervient aussi dans le support de la pensée : dans mon cahier d'écolier, les pages étaient, pour guider l'écriture, couvertes de « lignes ». Or ce mot vient du mot latin *lignum* qui désigne le matériau bois, caractérisé par ses fibres parallèles. Et le mot « livre » – cet objet qui, comme les arbres, a des « feuilles » – vient du latin *liber* qui désignait la couche qui se trouve entre l'aubier et l'écorce d'un arbre et qui, détachée, servait parfois de papier pour écrire. Les caractères de l'alphabet s'appellent, en allemand, *Buchstabe,* ce qui désignait aussi des baguettes de bois. En irlandais et en gallique, nous disent les linguistes, le même mot désigne les arbres et les lettres de l'alphabet – un héritage de l'époque où les runes étaient en usage.

Actuellement, c'est à partir de la pulpe de bois des arbres qu'est fabriqué le papier que nous utilisons, pour nos écrits, nos documents, nos journaux, nos publicités, et pour l'emballage. La technique employée évoque celle des Égyptiens qui, ayant peu d'arbres, fabriquaient le papyrus à partir de fibres végétales. Mais le papier de luxe respecte les arbres, car il est fait de vieux chiffons qui se voient ainsi anoblis, par la vieille technique des moulins à papier.

En attendant que l'édition électronique et l'écran supplantent le papier, le principal agent de disparition des arbres — dont l'existence est un facteur essentiel du climat — est la consommation de bois pour l'écrit, bien plus que son utilisation comme combustible. Des forêts entières disparaissent chaque jour dévorées par la presse et la publicité. Ce massacre des arbres contribue au réchauffement climatique dont on a enfin reconnu, pour une part considérable, l'origine anthropique, et dont on ignore jusqu'à quel point, et selon les régions, il va menacer la population du Globe. Il serait temps que les maîtres de notre planète se souviennent du dicton populaire, inspiré par l'arbre : *Il ne faut pas scier la branche sur laquelle on est assis.*

IV
DU REMPART À LA CATHÉDRALE

Depuis que les groupes humains ont eu à se défendre contre d'autres hommes, ou contre les bêtes sauvages, les arbres ont été utilisés, notamment dans les régions de l'Europe qui s'y prêtaient, pour constituer des haies vives de défense, des retranchements, bien avant que leur bois serve à construire de véritables forteresses. Le poète Saint-John Perse semble avoir rêvé de ces retranchements en parlant de… *ces hauts récifs de chênes et d'érables, gardés par les chevaux de frise des sapins morts.*

Jules César décrit ces murailles végétales que construisaient les Nerviens dans le nord de la Gaule, en taillant et en courbant de jeunes arbres pour former, avec leurs branches enchevêtrées, des ossatures remplies de buissons épineux, obstacles extrêmement épais, denses et infranchissables, que rencontrèrent les légions romaines pendant la guerre des Gaules. Et, cinquante ans plus tard, les légions commandées par Quintilius Varus, envoyées à la conquête de la Germanie par l'empereur Auguste, se trouvèrent aussi devant de véritables fortifications constituées de cette façon, avant d'être prises au piège et massacrées dans la forêt de Teutoburg.

Au Moyen Âge, dans le nord-est de la France des cordons boisés analogues étaient aménagés, sur certaines frontières. Les « plessis », dont on trouve de nombreux exemples dans la toponymie, désignaient ces ouvrages composés d'abattis renforcés par de savants entrelacements de branches d'arbres sur pied, coupées à diverses hauteurs, entremêlées de ronces et de buissons épineux. Les « Haies de Brie » qui s'étendaient ainsi, à l'est du bassin parisien, sur des dizaines de kilomètres, étaient des ouvrages de ce type, complétés par des fossés. Jusqu'au XVIIe siècle, des villages de l'ouest de l'Allemagne étaient défendus par des parapets sur lesquels on avait fait pousser de tels complexes végétaux et les villageois étaient tenus de les entretenir. Plus récemment encore, avant 1914, les Allemands avaient constitué, sur la frontière des Vosges, des barrages de défense difficilement franchissables, constitués de pins Mugho très serrés, complétés par des épineux, des fascines, des pieux épointés – et aussi par des fils de fer barbelés.

Pendant des siècles, les arbres ont fourni le matériau essentiel des constructions civiles et militaires. Autour d'Alésia, assiégée, c'est une ceinture de murailles de bois, renforcées de dispositifs de défense constitués de pieux épointés plantés en terre pour empêcher les charges de cavalerie, que César fit édifier pour venir à bout de l'armée gauloise de Vercingétorix. Et les engins de guerre, catapultes, balistes, onagres, utilisés par les Romains de même que ceux du Moyen Âge, étaient entièrement construits en bois, n'employant que quelques accessoires en métal, tels que pointes de projectiles, renforcements, pivots.

L'arbre constituait une ressource renouvelable dans laquelle, en France, depuis le début de l'occupation humaine, et pendant tout le début du Moyen Âge, les hommes puisaient sans compter. L'historien Jacques Le Goff a écrit : « Le Moyen Âge est le monde du bois. » Tous les domaines, ceux des seigneurs féodaux, ceux des communautés urbaines qui se développaient, ceux de toute exploitation rurale devaient absolument, pour avoir une économie équilibrée, disposer d'arbres, qui fournissaient le matériau indispensable à tout faire, mais aussi le combustible. Les coutumes, les lois et les contrats privés réglementaient strictement l'abattage, interdisant parfois l'emploi des scies, trop discrètes, et imposant l'emploi de la cognée, dont les coups, se répercutant dans le sous-bois, ne passent pas inaperçus.

Selon les besoins, et, en particulier, pour construire, chacun choisissait, selon ses droits, dans la forêt ou dans la campagne, les arbres, correspondant à ce qu'il cherchait. Le bois de construction était appelé, en France, d'un mot – *merrain* – qui vient du latin *materiamen,* issu de la racine gréco-latine *mater,* mère, et désigne la tige-mère d'un arbre, le tronc, dont on fait les éléments principaux des charpentes, les solives, les poutres. On trouve ce terme, appliqué à tout bois de construction, dans des « Capitulaires » de l'époque de Charlemagne. Un certain nombre de mots désignant, en français, des bois de charpente de différentes sections bien déterminées, viennent, comme « madrier », de cette racine latine, alors que d'autres comme « basting » et bastingage, de même que bâtiment, bastide, bastille sont d'une autre origine et de la famille de bâtir. L'origine en est un mot francique, *bast,* qui désignait l'écorce. Il s'est appliqué tout d'abord à la construction de huttes en lanières d'écorce, puis en clayonnage de branches. Ainsi, dès que l'Homme, aux époques les plus lointaines, a cherché à se créer un abri, c'est vers l'Arbre qu'il s'est tourné, en premier, quelle que soit la technique qu'il ait imaginée.

À la veille de la conquête de l'Angleterre par les Normands, en 1066, la *Tapisserie de la reine Mathilde*, à Bayeux, cette « bande dessinée » du XIᵉ siècle, nous montre une forteresse en bois, construite, comme c'était le cas, en général, sur une éminence naturelle ou artificielle – une « motte » –, et à laquelle les assiégeants cherchent à mettre le feu. On voit aussi représentés sur cette tapisserie l'abattage des arbres et la construction des vaisseaux à bord desquels les Normands du duc Guillaume traversèrent la Manche, avec leurs chevaux, pour affronter les troupes du roi Harold, réussissant la conquête de l'Angleterre à laquelle ne parvinrent ni Napoléon ni Hitler. Cette utilisation des arbres pour la construction navale est un des domaines qui a contribué aussi aux progrès de l'art de la charpente et l'on trouve, notamment en Normandie, des charpentes d'églises médiévales qui rappellent la technique de la construction des navires et dont, plus tard, Philibert de l'Orme s'inspirera.

Mais, en France, à partir du XIIᵉ siècle, dans beaucoup de régions, au nord de la Loire, les gens s'aperçurent que les grands arbres disparaissaient. Alors que, pendant des siècles, dans ce pays que, du temps de César, on appelait la Gaule chevelue, il suffisait de se rendre en forêt pour trouver l'arbre convenant à ce que l'on cherchait, cela devenait un problème, et il fallut en tenir compte.

On trouve dans les actes de vente de nombreux exemples du souci croissant de préserver cette ressource essentielle, les arbres, notamment en mettant certaines zones boisées en *défens*, ce qui en interdisait le défrichage. À plusieurs reprises, le roi Philippe Auguste prit des dispositions dans ce sens. Et dans toute la France du Nord, des seigneurs suivirent son exemple.

Cette pénurie de bois d'œuvre était la conséquence d'une période de paix relative, dans les campagnes, qui avait induit une poussée démographique, entraînant une forte consommation et elle eut notamment des effets sur l'ensemble du cadre bâti, et sur la transformation de l'architecture du XIe au XIIIe siècle. Il entre tout à fait dans notre sujet de montrer l'enchaînement et l'importance des conséquences, en moins d'un siècle, d'une modification de ce que les arbres apportent à l'Homme.

À cette époque, l'accroissement de la population qui entraîna plusieurs grandes famines, avait imposé une extension des surfaces cultivées d'autant plus importante que le rendement des cultures – surtout des céréales, bases de l'alimentation – était très faible. Cette extension, en France, se fit essentiellement aux dépens des espaces boisés dont disparaissaient notamment les arbres les plus vieux, dont on tirait les pièces de charpente essentielles. Les légendes reflètent les problèmes que cela entraînait. Par exemple, en Bretagne, saint Yves est crédité d'avoir miraculeusement rallongé la poutre trop courte qui avait été livrée pour une église en construction. Dans les chroniques aussi, cette situation apparaît. Ainsi, l'abbé Suger relate comment, après des recherches infructueuses de plusieurs côtés, pour trouver seulement douze poutres de dimensions suffisantes pour son église de Saint-Denis, finalement, malgré les informations les plus décourageantes, qui l'aurait conduit à essayer de trouver ce qu'il cherchait à deux ou trois cents kilomètres de son abbaye, jusque dans le Morvan, il les trouva dans la forêt de Rambouillet. Il considéra qu'il avait bénéficié d'un miracle :

> *À travers la futaie, à travers l'épaisseur des forêts, à travers les buissons d'épines, à l'étonnement de tous… nous trouvâmes douze poutres. Nous les fîmes porter à la sainte basilique et placer sur la couverture… à la louange et à la gloire du seigneur Jésus qui se les étaient réservées ainsi qu'à ses saints Martyrs, ayant voulu les protéger de la main des voleurs.*

Aujourd'hui, la conséquence, dans l'agriculture, du développement des biocarburants, menace d'entraîner des famines, alors qu'à l'inverse, à cette époque, dans ce « monde du bois » de Le Goff, la lutte contre la famine a entraîné la pénurie de bois, ce matériau à tout faire qu'on a pu appeler le « pétrole du Moyen Âge ». Les constructeurs des monuments appelés plus tard « gothiques » durent alors s'adapter et employer des éléments de section plus faible – plus jeunes. *Les forêts éclaircies du continent*, écrit Viollet-le-Duc, *ne fournissaient plus de ces arbres deux fois séculaires en assez grande quantité pour que les constructeurs ne dussent être obligés de remplacer leur volume de bois par un judicieux emploi de leur qualité*. Et il montre que les constructeurs se sont appliqués « à rechercher dans les plus grandes charpentes […] s'ils avaient besoin d'une grosse pièce […] les combinaisons suppléant au faible équarrissage des bois employés ». Ainsi, dans le cas de grosses pièces verticales, « ils réunissaient quatre brins ». Viollet-le-Duc a remarqué aussi que le système classique des fermes s'est maintenu dans quelques régions où le bois était encore abondant.

Le carnet de dessins du XIIIᵉ siècle de Villard de Honnecourt reflète aussi la nécessité d'économiser le bois. Les constructeurs des cathédrales, en France du Nord et en Normandie, imaginèrent alors le système des « chevrons-fermes », recevant directement les éléments – liteaux ou voliges – portant la couverture. Ces fermes légères sont beaucoup plus rapprochées, entre elles, que les fortes fermes héritées du modèle antique, qui portaient les chevrons par l'intermédiaire de lourdes pièces horizontales, les « pannes ». Il se trouva que, pour la grande entreprise de construction des cathédrales, le nouveau système, en facilitant la manipulation et le levage des éléments de charpente, beaucoup plus légers que dans les fermes classiques, permettait plus aisément d'élever les édifices beaucoup plus haut que jusqu'alors. L'émulation entre les villes entraîna alors à réaliser des nefs d'une hauteur vertigineuse et à élever les flèches de certaines cathédrales jusqu'à la moitié de la hauteur que devait, cinq siècles plus tard, atteindre la tour Eiffel.

Dans les techniques de construction romanes, la consommation de bois pour les cintres et les coffrages des voûtes était très importante et le volume de bois non réutilisable était considérable. Les constructeurs imaginèrent alors de standardiser les courbes des arcs, pour permettre le réemploi systématique des cintres, et, pour répondre néanmoins à la nécessité de prévoir des arcs de portées différentes selon les exigences des plans, ils développèrent l'emploi de l'arc « brisé » – improprement appelé parfois « ogival » – qu'en italien, en anglais, en allemand, on nomme arc « pointu ». Un croquis du manuscrit de Villard montre ainsi trois arcs de portée différente, l'un en plein cintre, les autres « brisés », en indiquant : *Par chu fait om trois manires d'ars a conpas ovrir one fois*, ce qui signifie qu'ils sont tracés avec la même ouverture de compas. D'autre part, on décomposa les voûtes en compartiments, limités par des arcs saillants, composés, grâce à la généralisation de l'arc brisé, de voussoirs tous taillés sur la même courbe. Et cette standardisation facilita leur taille sur la carrière même, en réduisant le nombre de modèles à tailler. En outre cela entraînait une économie considérable sur les transports depuis les carrières, les pierres finies pesant près de moitié moins que les blocs dans lesquels elles devaient être taillées, et permettant d'aller chercher des pierres de meilleure qualité que ce qu'on trouvait à proximité. D'autre part, la nécessité de fournir aux tailleurs de pierre des éléments de travail précis et de prévoir la disposition des voûtes entraîna des progrès importants dans la pratique de la géométrie descriptive. Cela eut des conséquences considérables pour toutes les techniques nécessitant l'établissement de plans précis préalables.

C'est ainsi qu'une modification de ce que les arbres apportaient aux hommes a joué non seulement un rôle essentiel dans l'extraordinaire floraison d'édifices gothiques du XIIe au XVe siècle, en France et à travers l'Europe, mais a aussi contribué aux progrès dans les innombrables domaines nécessitant, de nos jours, des plans préalables précis – la construction, les travaux publics, la construction navale, les transports de toute nature, l'industrie aéronautique, pour n'en citer que certains.

V
DE L'ART À LA GUERRE

Si l'Arbre, par les formes et les couleurs qu'il prend, selon l'espèce, le climat, la saison, la lumière, est une source d'inspiration pour les peintres et les écrivains, il offre aussi, dans sa chair, aux sculpteurs et aux graveurs, un matériau exceptionnel, car c'est aussi, comme le disait de la pierre le sculpteur Henri Navarre, « un matériau qui se défend » et cette lutte entre l'arbre et l'artiste devient une étroite collaboration. Quand, dans les années 1940, dans une forêt du Dauphiné, j'ai sculpté une branche de merisier pour le voir devenir peu à peu un coupe-papier, en forme de guerrier médiéval qui, offert à celle qui devait devenir ma femme, est un témoignage qui a résisté aux années, je ne savais pas, au départ, ce qui allait sortir de cette branche : c'est l'arbre qui me l'a suggéré au cours de l'avancement du travail. Par contre, ce fragment de branche cassée, poli dans les eaux de la Loire que, longtemps plus tard, j'ai trouvé déposé sur la rive par le fleuve, comme un naufragé, et que j'ai recueilli en lui trouvant l'aspect d'un animal fantastique, c'est à l'arbre seul qu'il devait sa forme.

Ainsi les arbres nous offrent pour la sculpture et le bas-relief, leur matière intime, avec ses fibres, ses nœuds, ses teintes, ses parties plus ou moins tendres, qui a inspiré les artisans et les artistes qui, depuis la préhistoire, l'ont gravé, l'ont taillé, l'ont travaillé, l'ont aimé… Avant même les premiers livres imprimés, dès qu'on commença à utiliser le papier, la gravure sur bois a permis, par la technique de l'estampe, la polycopie d'illustrations, et même de textes, et elle a été appliquée dès le XVe siècle sur des ouvrages imprimés, les incunables.

En matière de sculpture, les émouvantes – et parfois naïves – sculptures sur bois du Moyen Âge, mais aussi d'époques plus récentes, dans diverses provinces de France, sont un témoignage de cette connivence entre l'arbre et l'artiste. Exemples particulièrement intéressants, mais peu connus, sont ces sculptures, pleines de vie, parfois même érotiques ou irrévérencieuses – scènes familières, artisans au travail, petits tableaux des mœurs de la société profane et du clergé de l'époque – que l'on découvre sur des stalles d'église, sous des milliers de « miséricordes ». Ces sièges abattants étaient destinés, à l'origine, à soulager – par compassion (*pro misericordia*) – les chanoines ou les moines âgés ou souffrants qui, au cours de services religieux interminables, devaient rester debout – seule position jugée convenable pendant le service religieux. Toléré au début, dans certains cas, ce confort se répandit, à partir du XIᵉ siècle, en dépit des prédicateurs qui tentèrent en vain d'en interdire la généralisation. Sur le dessous de ces sièges, les artistes, dégagés exceptionnellement de la censure frappant les œuvres exposées aux regards, et qu'en outre la situation de ces sculptures – sous le séant des moines ou des chanoines – interdisait – ce qui eût été inadmissible – d'y mettre des figures religieuses, ont pu exprimer, en toute liberté, leur talent, leur regard critique, et souvent aussi leur humour. Un travail considérable de recherche et de recension de ce « monde caché » des miséricordes a été effectué dans toute la France par Dorothy et Henry Kraus et publié en français en 1986. Il fallait qu'il y eût en France, plusieurs milliers de ces miséricordes (dont, au XIIIᵉ siècle, Villard de Honnecourt témoignait de l'usage dans un de ses dessins) pour qu'il en reste encore des quantités, malgré les innombrables disparitions, lors de guerres de religion, de révolutions, de bombardements, d'incendies ou de vols et, parfois, par l'initiative de curés rigoristes, choqués par certaines sculptures, et peu sensibles à l'art.

Plus que la pierre, le bois des arbres est un matériau qui vit. *Le bois ne meurt jamais tout à fait puisqu'il se prolonge avec éclat, avec une sorte de lyrisme, dans la flamme qui le consume*, écrit poétiquement Bernard Clavel. En fait, dans le feu, il disparaît néanmoins, alors que même après que l'arbre a été abattu, le bois vit effectivement : on dit qu'il « travaille ». De même qu'il existe des arbres « tortillards » dont les fibres se développent en spirale autour de l'axe de l'arbre, il existe des flèches de clochers « torses » dont la charpente est, peu à peu, vrillée par une action que certains attribuent à l'arbre d'origine, ou à des conditions hygrométriques, et que d'autres – alors qu'il existe pourtant des arbres lévogyres et des arbres dextrogyres – supposaient liée à la trajectoire quotidienne du soleil, agissant, jour après jour, de façon infime mais répétée sur la pousse d'un arbre, et qui agirait de même sur la charpente des flèches de beaucoup d'églises.

De l'infinie variété de formes que les arbres prennent, dans leurs troncs et leurs branches, en se développant, l'homme a su tirer profit. Parfois même, il intervenait, avec des câbles tendus, pendant le développement d'arbres choisis, pour imposer à certaines branches une forme donnée.

C'est qu'une pièce de bois courbe ou fourchue d'origine, présente une meilleure résistance, à section égale, qu'un élément composé ou qu'un assemblage. L'enfant qui se fait un lance-pierres, ira, d'instinct, choisir son arme toute faite sur une branche fourchue. Saint-John Perse évoque ainsi *les chercheurs de bois coudé pour construction d'étraves.* Ces bois courbes étaient recherchés non seulement pour la construction des vaisseaux, mais pour la charpente de certaines églises, pour de grands portails, des portes et des boiseries intérieures. Ils entraient aussi dans certaines façades en « pan de bois » de Normandie, d'Angleterre, d'Alsace, de la Forêt-Noire, et de maints autres pays de bois, où, sur fond d'enduit clair, les croisillons, passés au brou de noix, et parfois courbes, égayent la sévérité de ces ossatures verticales des « colombages », dont le nom vient de ces « colonnes » encastrées dans ces murs.

Au Moyen Âge, en France du Nord, en Angleterre, mais aussi dans beaucoup d'autres pays d'Europe, la plupart des villes, enserrées à l'intérieur de leurs remparts, étaient presque entièrement constituées de maisons en bois, qui se touchaient entre elles et dans lesquelles le combustible était souvent utilisé dans des foyers ouverts. Aussi les incendies étaient-ils fréquents ; la ville de Chartres fut atteinte à trois reprises entre 989 et 1210 par des incendies qui touchèrent la cathédrale, ce qui fait qu'ils ont été mentionnés dans les archives. Dans la même période, ce fut le cas aussi, deux fois, à Noyon, à Bayeux et à Reims et – seulement une fois – à Sens, Nevers, Orléans, Périgueux. De 1200 à 1225, Rouen brûla six fois. Entre 1293 et 1333, Sens, Nevers et Laval sont parmi les villes incendiées. À partir du XIIe siècle, on commença à prendre des dispositions, en imposant d'abord, entre les maisons des villes, des murs séparatifs en pierre ou en briques, puis de construire les maisons entièrement avec ces matériaux et à les couvrir de tuiles, d'ardoises, ou de lauzes, au lieu du chaume. On a considéré en Angleterre, où le grand incendie de Londres, en 1137, entraîna des réformes des règles d'urbanisme, que l'évolution de l'architecture, du style roman au style gothique, fut accélérée par ces destructions, car les constructeurs n'imaginaient pas de reconstruire à l'identique et tenaient compte des nouvelles techniques. Cela dut jouer aussi en France.

Mais les qualités, à la fois de résistance et d'isolation thermique, dues à la composition du bois, et qui résultent du développement naturel de l'arbre, en ont fait un matériau de choix, particulièrement pour la construction de bâtiments dans les climats froids. Et ce sont des pays où le bois est le plus souvent brûlé non pas dans des cheminées à feu ouvert, mais dans des poêles en matériaux incombustibles, ce qui réduit les risques d'incendies.

Les arbres aux troncs très droits de ces régions ont inspiré le parti constructif des *isbas* russes, édifiées en troncs massifs, empilés, sommairement équarris sur les faces superposées, et ingénieusement taillés et assemblés aux angles des murs. Dans les pays scandinaves, certaines constructions – parfois très élaborées, avec de nombreux motifs sculptés et datant souvent de plusieurs siècles, sont des très beaux exemples de l'emploi du bois. Et si le bois est plus exposé que la pierre à certaines attaques, la réfection à l'identique par des artisans qualifiés des parties endommagées, fait que ces édifices, parfois classés monuments historiques, restent absolument semblables à eux-mêmes pendant de nombreux siècles, alors que parfois il ne reste plus aucun élément datant de la construction. Et la facilité de travail du bois en fait aujourd'hui le matériau principal de quantité de maisons construites en série, notamment aux États-Unis.

Le matériel de chantier aussi a toujours beaucoup utilisé le bois et, jusqu'au XIXe siècle, dans tout bâtiment, les éléments provisoires, tels que cintres, coffrages, échafaudages, planchers de circulation, abris de protection, échelles ou rampes d'accès, tout était en bois. Les engins de chantier, notamment grues, treuils, potences de levage étaient en bois et déjà très perfectionnés au Moyen Âge. Les tableaux de Bruegel, notamment, montrent des grues pivotantes de grandes dimensions et il reste encore, dans les combles des cathédrales, un certain nombre de roues de levage qui étaient actionnées par des hommes marchant à l'intérieur de la roue, à l'instar des hamsters qui, dans leurs roues dites roues d'écureuil, amusent nos enfants. Même dans un pays fort pauvre en bois, comme la Nubie, pour la construction des pyramides des rois de Napata et de Méroé, on utilisait des grues inspirées des *chadoufs* de la vallée du Nil, qui servaient à puiser l'eau. Ces appareils sont constitués d'un grand balancier, monté sur un support fourchu, un contrepoids accroché à une extrémité permettant de soulever la charge suspendue à l'autre.

Si le bois a été le matériau essentiel des engins de chantier, il fut aussi celui des engins de guerre. Déjà les catapultes et les balistes des Romains étaient construits en bois. Certains utilisaient, selon le principe de l'arc, la flexibilité de certaines grosses branches en en ramenant l'extrémité en arrière par le moyen de treuils, puis en les relâchant pour projeter un projectile par la force de la détente. Mais le poids qu'on pouvait projeter par ce moyen était limité. Au Moyen Âge, on chercha un moyen permettant d'augmenter à la fois la portée et le poids des projectiles lancés. Ce fut le principe du balancier muni d'un contrepoids qui permit de construire les plus puissantes machines de guerre du Moyen Âge. Lorsque les Français, en 1147, au siège de Lisbonne, en firent usage, les adversaires qui en voyaient pour la première fois, les appelèrent, pour s'en moquer, « trébuchets », du nom des balances des changeurs, analogues à nos pèse-lettres à contrepoids. Avec ces engins, à l'époque des croisades, on envoyait des blocs de cent kilos ou des pots remplis de matières incendiaires à plus de trois cents mètres, pour détruire les superstructures et démolir les constructions intérieures des châteaux forts, comme le fit Saladin lors de sa reconquête de la Palestine. La chronique relate même l'utilisation cruelle d'un de ces engins pour expédier à l'intérieur du camp ennemi, par la voie des airs, un espion qui avait été démasqué. Même après l'utilisation de la poudre, ces machines, plus sûres que les premiers canons, étaient encore en usage. Léonard de Vinci qui a dessiné aussi le projet d'une arbalète géante proposait, en 1481, dans une lettre à Ludovic Sforza : *Là où l'usage du canon est impraticable, je puis le remplacer par des catapultes, mangonneaux, trébuchets et autres engins lançant des traits d'admirable efficacité, et inconnus jusqu'à présent.*

VI
L'ARBRE INVENTE LA ROUE

Les hommes de la préhistoire de l'Europe qui, pour dresser ces pierres levées que les Bretons appellent menhirs, ou pour construire les galeries couvertes – les dolmens – devaient transporter leurs mégalithes – parfois sur de longues distances – pouvaient recourir à l'arbre pour construire des radeaux, s'ils disposaient d'une voie d'eau et d'un volume suffisant de bois pour que la poussée d'Archimède maintienne en surface l'embarcation et les monolithes. En Égypte, c'est par la voie d'eau que les obélisques arrivaient à Louqsor et l'un d'eux, installé place de la Concorde, est arrivé à Paris en 1836, traversant la Méditerranée, sur un navire à voiles. Mais, en général, un trajet plus ou moins long, par voie de terre, était nécessaire avant que le monolithe parvienne à destination.

C'est ici que l'arbre jouait un rôle essentiel : il a la particularité naturelle de se développer par couches concentriques et la coupe des troncs est souvent presque parfaitement circulaire. Posée sur des « rouleaux » découpés dans des troncs de dimensions convenables et sur un terrain, même un peu inégal, mais de fermeté suffisante, une énorme masse de pierre peut être déplacée par des équipes d'ouvriers, à l'aide de cordages. Au fur et à mesure que le fardeau avance, les rouleaux libérés derrière lui sont remis par-devant : ainsi, quelques rouleaux seulement sont nécessaires, en tout, pour que cela fonctionne. C'est aussi à l'aide de leviers en bois que l'énorme masse du menhir parvenue au bord du trou de fondation, creusé pour la recevoir, est guidée pour basculer à sa place. Calé par des pierres et de la terre damés à l'aide de grosses pièces de bois, le monolithe peut tenir d'aplomb pendant des siècles. Ainsi, ce n'est pas à des géants, doué d'énormes muscles, comme à ceux qui sont représentés dans les temples préhistoriques de l'île de Malte, qu'il faut attribuer l'extraction, le transport et la mise en place de ces énormes pierres, mais à de simples hommes, d'une grande intelligence, qui ont organisé et exécuté de telles opérations.

C'est ainsi qu'étaient transportés, aussi, des dizaines de siècles plus tard, les vaisseaux des aventuriers normands, lorsqu'une ville forte, ou un pont fortifié, les arrêtait, sur un fleuve, comme ce fut le cas en France, lorsque les Normands, en 886, n'ayant pas réussi à prendre Paris qu'ils assiégeaient, contournèrent la ville en faisant passer sur des rouleaux de bois leurs vaisseaux (qu'on appelle improprement *drakkars*, du nom de leur figure de proue) pour reprendre leur navigation en amont. En Russie, ils traversèrent ainsi tout le pays, remontant les rivières qui se déversaient dans la Baltique et, ayant franchi la ligne de partage des eaux, remettant leurs embarcations dans un fleuve s'écoulant vers la mer Noire pour aller mettre le siège devant Byzance. Pour faciliter encore le roulement, en particulier sur des sols marécageux ou insuffisamment fermes, des troncs d'arbres de grande longueur, dégagés sur leur face supérieure de toutes amorces de branches, étaient couchés dans le sens de l'avance du transport, et calés sur le sol, formant deux rails parallèles, sur lesquels les rouleaux se déplaçaient plus facilement que sur le sol naturel dans lequel, s'il n'était pas assez dur, ils s'enfonçaient. Ce principe de chemin de roulement constitué de rails devait être efficacement repris lorsque, la roue étant entrée en usage, on eut l'idée de marier les roues aux rails en leur donnant des profils correspondants, ce qui n'était viable qu'en utilisant le métal pour ces deux éléments, et en maintenant un écartement précis et constant entre les rails, ce qui fut pendant des décennies réalisé avec des traverses en bois.

Et les réseaux de « chemins de fer » qui se sont étendus sur toutes les régions du globe ont révolutionné les transports et toute l'économie mondiale, sans que le développement des moyens de transports routiers puisse les remplacer. Ainsi ce sont les potentialités des arbres qui ont – c'est le cas d'employer cette expression – « montré la voie », celle qui a abouti aujourd'hui au TGV.

Mais en dehors de la terre ferme, c'est encore l'arbre qui fournira la solution. Ainsi, grâce à sa faible densité, le matériau issu de l'arbre a permis la navigation. D'abord utilisés avec des troncs reliés entre eux formant une plateforme, pour constituer des radeaux, les arbres ont permis aussi de construire des navires, d'abord simples embarcations creusées dans un gros tronc, puis engins plus élaborés, construits avec des éléments assemblés, capables d'affronter de grandes traversées, maniables, propulsés par des rames en bois et bientôt pourvus de mâts, pris dans des troncs droits et de grande taille. Les formes naturelles courbes, fourchues, etc., de certains arbres étaient très recherchées aussi, étant donné leur solidité supérieure à celle d'un élément composé de plusieurs morceaux assemblés. Elles servaient non seulement pour des pièces importantes de navires, comme la proue, mais aussi pour des véhicules de transport à roues. L'arbre a apporté aussi le matériau permettant de construire des traîneaux, soit pour les déplacements sur une surface herbue présentant peu de résistance au frottement, soit sur la neige. Mais le traîneau a aussi été utilisé sur les pentes, pour descendre des matériaux pesants. Dans les Vosges, les bûcherons utilisaient, non sans risques, la *schlitte*, un traîneau pour descendre dans la vallée les bûches découpées dans les troncs des arbres abattus dans les forêts d'altitude, en empruntant des « chemins de bois » installés dans le sens de la plus grande pente, et qui étaient faits de troncs d'arbres parallèles, reliés par des rondins formant des marches, qui permettaient au schlitteur placé devant son pesant fardeau de le retenir

L'invention de la roue que Pierre Rousseau, auteur d'une *Histoire des transports*, considère comme « l'invention la plus féconde et la plus méritoire de tous les temps », est une rare chose qui ne doit rien à l'exemple de la nature. Pourtant, par la diversité, la fécondité, l'ingéniosité même de la nature (si l'on peut ainsi personnaliser cette entité, comme si elle était l'*Être Suprême* auquel, en 1791, Robespierre et les révolutionnaires vouaient un culte) sont admirables et sans limites. Mais le monde vivant ne connaît pas le mouvement circulaire continu, car aucun organe ne peut pivoter autour d'un centre au-delà d'un angle limité sans rompre les chairs, les vaisseaux, les branches, les éléments qui le relient au reste du corps, qu'il s'agisse d'un animal ou d'un végétal.

Certaines civilisations n'ont d'ailleurs pas connu la roue dont l'invention ne peut être aisément reconstituée, mais il est difficile d'imaginer qu'elle n'ait pas été inspirée par l'arbre. Une invention qui a été essentielle pour le développement des moyens de transports est celle de l'axe qui a permis de passer du rouleau, accessoire indépendant de l'objet à transporter, et d'emploi limité, à un élément solidaire de ce qui est devenu le véhicule, la roue. Un signe pictographique des tablettes d'Uruk, en Mésopotamie, datant du IVe millénaire avant notre ère, représente ce qui semble une cabine à toit pointu, ou la pointe d'une pyramide, posée sur un châssis en forme de traîneau qui repose sur deux gros rouleaux. Mais leurs centres étant marqués par un petit point blanc, il pourrait s'agir de roues. Or, dans des tombes de cette région, datant du millénaire précédent, on a retrouvé, à Ur et à Kisch, des chariots à quatre roues. Le pictogramme pourrait être un témoignage du passage du rouleau à la roue.

Toutefois, avant d'inventer la roue, l'homme a utilisé le mouvement circulaire, par exemple pour faire du feu en faisant tourner rapidement dans ses mains, le bâton que lui offre l'arbre, ou pour pratiquer un trou avec une pierre pointue, que ce soit dans un manche d'outil pour y passer un lien, ou pour percer un coquillage afin de faire un collier. Un potier a pu se servir d'une planche sur laquelle il formait des récipients, en les tournant progressivement devant lui et s'apercevoir de la facilité que pouvait lui apporter un plateau rond qu'avec ses pieds, il pouvait faire tourner rapidement autour d'un point fixe obtenu en perçant ce plateau et en y mettant une cheville enfoncée dans la surface de support. Ainsi, le mouvement rotatif aurait précédé l'invention de la roue. De fait, à Erech en Mésopotamie, dans le pays de Sumer, où les archéologues ont exhumé des véhicules à roues datant du IIIe millénaire, une roue de potier de qutare-vingt-dix centimètres de diamètre vieille de quatre mille ans a été trouvée. Un enfant a pu s'amuser avec une roue de potier, et l'idée d'utiliser un tel objet pour supporter une charge a pu naître chez un esprit observateur en remarquant que le centre du plateau circulaire restait toujours à la même hauteur du sol.

Une tranche d'arbre, si l'idée en était venue, ne convient pas pour faire une roue, car sa composition par couches concentriques n'assure pas une liaison solide entre l'axe et la circonférence de roulement et, à l'usage, une telle roue se briserait rapidement. Les premières roues sont construites de deux couches perpendiculaires de planches de bois découpées sur les bords selon un cercle que renforce une jante circulaire en bois souple ou en métal. Un trou rond pratiqué au centre laisse passer une extrémité, taillée en forme cylindrique, de l'essieu, sur lequel porte la charge. Mais ce système rustique présente, aux endroits où les roues tournent autour de cet axe, un frottement important qu'on palliait par de la graisse, avec une efficacité d'autant moins grande que la charge était lourde.

C'est encore l'arbre qui aura été à l'origine d'une solution réduisant au minimum cet inconvénient. En effet, c'est le système préhistorique des rouleaux en troncs qui réduisent le frottement en étant libres entre les deux surfaces dont l'une – la charge – se déplace par rapport à l'autre – le sol support – qui doit être à l'origine d'une application qui a connu un considérable développement. La première idée d'un roulement à rouleaux (devenu roulement à billes, celles-ci présentant moins de surfaces de frottement latéralement, dans leur logement) semble se trouver dans un dessin, peu spectaculaire et rarement reproduit, de Léonard de Vinci, dans un manuscrit qui est à Madrid. Le roulement à billes est devenu indispensable dans la moindre machine et il est piquant de penser que, dans le langage des bûcherons, le mot « bille » désigne le tronc abattu et ébranché, destiné à constituer des poutres ou à être débité en planches.

Et dans le langage de la mécanique aussi, l'arbre reste toujours présent, car, en français, ce terme, évoquant les fûts droits des grands résineux s'applique à tous les éléments cylindriques et rectilignes chargés de transmettre un mouvement rotatif comme l'arbre des moulins à eau, l'arbre à cames, etc.

VII
DE L'OUTIL À LA MUSIQUE

L'âne de mon ami Michel bénéficie derrière la maison, en Normandie, d'un espace de pâture qu'il est chargé de tondre. Il s'y trouve aussi des arbres et l'âne a pris goût à leur écorce ; il en arrache parfois de petites branches qu'il emporte en les grignotant. Des fils électrifiés divisent ce champ en parcelles et, lorsque l'âne en a tondu une, le fil, posé sur des crochets isolants fixés sur des potelets, est décroché et l'animal est invité à passer dans la parcelle voisine, où l'herbe épaisse et fraîche s'offre à son appétit. L'âne, confiné dans une parcelle que son maître estime n'être pas entièrement tondue, mais qui, piétinée, est devenue moins tentante, doit souvent regarder avec envie l'herbe appétissante de la parcelle voisine. Mais le fil électrifié dont il a expérimenté les effets désagréables, lui en interdit l'accès.

À plusieurs reprises on a trouvé le fil, décroché de l'un des supports, tombé à terre ; on a pensé à une cause accidentelle. Mais l'incident s'est reproduit plusieurs fois. *Is fecit cui prodest* : cette vieille maxime de droit est venue à l'esprit du maître de l'âne, mais on ne voyait pas comment l'animal aurait pu décrocher le fil électrifié. Le champ fut mis en observation, plusieurs jours de suite, dès le point du jour. Le coupable fut alors pris en flagrant délit : l'âne, s'approchant, un jour, de la parcelle interdite avec, entre ses dents, une branche qui passait sous le fil près d'un poteau support, et ne ressentant aucune décharge, a dû bouger la tête, et le conducteur électrifié, sorti du crochet et glissant le long de la petite branche, est tombé à terre. L'animal n'a pas dû hésiter à franchir la limite et à brouter le fourrage tentant. Et, comme il répète de temps en temps sa manœuvre, et a même pu être filmé, en pleine action, on a dû se rendre à l'évidence : l'âne a trouvé dans l'arbre un outil lui ouvrant certaines possibilités.

De même, c'est dans l'arbre que les hommes ont trouvé l'outil, d'abord simple prolongement du bras, pour atteindre un fruit, ou pour « gauler » noix ou glands, ce qu'au XIVe siècle, le miniaturiste des *Très riches heures du duc de Berry* a représenté avec les porcs qui se pressent aux pieds du paysan pour se nourrir des glands qu'il fait ainsi tomber.

L'outil, aussi primitif soit-il, écrit Bertrand Gilles dans son *Histoire des techniques, apparaît, en définitive, comme le premier témoignage de l'Humanité*. Je pense qu'ici l'arbre a joué un rôle. Un homme primitif encore semi-arboricole, ayant aperçu hors de sa portée un fruit appétissant, l'arbre lui offrit, comme à l'âne de Michel, une branche qui, cassée, fit l'affaire. Mais bientôt, l'homme s'aperçut qu'il tenait là un outil, et aussi une arme, amplifiant la force de frappe obtenue avec la longueur du bras. Devenu *habilis* puis *faber*, l'Homme se mit à augmenter son action sur son environnement en empruntant aux arbres et en perfectionnant des outils de plus en plus différenciés, la houe, le crochet, le marteau. Puis il étendit l'usage de ces outils à la défense et à la chasse, avec la massue, le propulseur, la lance, le javelot et bientôt l'arc. Et il ne se fit pas faute d'utiliser ces armes contre son semblable devenu concurrent, puis adversaire.

L'idée d'associer les qualités du bois à celles de la pierre ou du métal fit apparaître ensuite la hache de pierre, puis la hache armée d'une lame métallique, et le piochon vint relayer la houe primitive. Le manche, en éloignant du centre de rotation l'extrémité d'un outil tranchant ou contondant, en augmente la vitesse angulaire, donc l'impact. La cognée, c'est-à-dire la partie tranchante, cunéiforme (en forme de « coin ») de la hache, serait inutilisable sans le manche et comme le dit la sagesse populaire, *il ne faut pas jeter le manche après la cognée,* c'est-à-dire après la perte de sa partie coupante. Et celui qui aime à travailler de ses mains connaît tout le plaisir et l'avantage d'un outil dont le manche, par sa forme et son poids convient à la main qui le tient et aux travaux auxquels il est destiné.

L'élasticité de certains bois, ou d'éléments composés de brins liés entre eux, pour former un ressort, permet d'enregistrer puis de relâcher de l'énergie, ce qui est utilisé dans l'arc et l'arbalète, mais aussi dans les balistes employées par les Romains, sortes d'arbalètes de grandes dimensions, orientables, et dans l'arbalète géante que Léonard de Vinci a dessinée. Sur les toutes premières scies hydrauliques, à l'instar du système employé, à échelle réduite, pour les tours à pédale, des potiers et des aiguiseurs de couteaux, qui utilisait l'élasticité des branches de certains arbres, la lame de scie était accrochée à l'extrémité d'une forte branche d'arbre flexible. Forcée à descendre par un jeu de cames, à chaque tour de la roue du moulin, elle sciait la « grume » et remontait ensuite par la détente de cette branche, cependant qu'un dispositif faisait avancer, à chaque coup, la pièce de bois à débiter. La plus ancienne représentation d'une telle machine, se trouve dans le carnet de dessins du début du XIIIe siècle de Villard de Honnecourt. Reconstituée sur la rivière à Bevagna, près d'Assise, en Italie, elle a effectivement fonctionné.

L'efficacité de ces machines qui furent rapidement perfectionnées, et leur rapidité à débiter les troncs par rapport au travail des scieurs de long, inquiéta parfois les pouvoirs publics, au point que, dans certaines régions de montagne, où le couvert boisé protégeait contre l'érosion et les avalanches, on craignit qu'elles n'entraînent la disparition des arbres protecteurs. Ainsi, à Colmars, dans les Alpes du Sud, à la fin du XIIIe siècle, les consuls, voyant la déforestation entraînée par le débit de ces machines, en ordonnèrent la destruction. Mais par la suite, dans toutes les régions, ne pouvant s'opposer à ce progrès, on prit des mesures de préservation et l'on réglementa strictement les prélèvements d'arbres, en essayant de les limiter à ce que les forêts locales pouvaient produire naturellement, sans être diminuées.

Mais, en dehors des outils, le bois de l'arbre bienfaiteur se prêtait à la fabrication de tous les ustensiles du quotidien, l'écuelle, la louche, le bol, la cuiller, les récipients de petites dimensions et aussi les sabots. Pour les récipients de matières liquides de grandes dimensions, les amphores et les jarres en terre cuite, utilisés dans l'Antiquité par les peuples autour de la Méditerranée, étaient fragiles et les outres en cuir peu propres à conserver le goût du vin : les Gaulois amateurs de vins, disposant de vastes forêts mais de régions favorables à la vigne très dispersées, inventèrent les tonneaux, formés de planches de bois taillées, jointives, les « douves », faites de préférence à partir de vieux chênes de haute futaie, et qui étaient ceinturées à l'origine par des liens très serrés, en bois souple torsadé, et, plus tard, en métal. L'arbre trouva ici une nouvelle fonction, en donnant, selon les essences de bois utilisées pour le tonneau, des saveurs différentes aux vins qui y sont contenus. Être « élevé en fût de chêne » est pour un vin un élément qui augmente sa qualité gustative et… sa valeur marchande. L'arbre contribue ainsi à la qualité du vin. Les noms de certains vignobles attestent d'ailleurs que, souvent, ce sont des terrains anciennement occupés par les arbres qui ont été défrichés pour y planter de la vigne. Toutefois, le nom très réputé de Chablis qui, pour les forestiers, désigne des arbres abattus par une cause naturelle, montre qu'à cet endroit, il n'y a pas eu de défrichage. Mais les vignerons se gardaient de supprimer tous les arbres et en cultivaient sur tous les terrains qui se prêtaient moins bien, par leur exposition ou la nature du sol, à la vigne. Car celle-ci demande beaucoup de bois pour les échalas indispensables à sa culture ; il en faut aussi pour les clôtures destinées à protéger les vignes contre les troupeaux. En outre il fallait de certains bois pour les tonneaux. Il existait ainsi une « symbiose » entre la vigne et l'arbre.

Dans le domaine de la musique, l'arbre a eu un rôle essentiel. D'abord de simples bruits marquaient le rythme de la danse, à l'aide de branches de bois entrechoquées ; puis, en frappant sur un récipient creux, avec ensuite l'idée de tendre une peau de bête sur l'orifice du récipient, ou sur un cercle de bois pour frapper, avec les doigts ou une baguette, on perfectionna le son. Cette caisse de résonance devint l'ébauche du tambour, auquel le bois de l'arbre apportera sa forme définitive. Après les premiers instruments à percussion, sont apparus les instruments à vent. Lorsque l'homme a eu l'idée de souffler dans un tube creux tel qu'un roseau, mais aussi dans les branches creuses de certains arbres, puis d'y percer des trous, il a remarqué les différences du son obtenu en en bouchant certains, ou en employant des tubes de longueur différente, attachés ensemble, comme dans la flûte de Pan, qu'utilisent les bergers que Virgile célèbre dans le quatrième chant des *Géorgiques*. Les diverses qualités et particularités du bois des arbres ont donné naissance ainsi au sifflet, au pipeau, à la flûte, au hautbois. Le bois n'a pas été entièrement détrôné par l'utilisation du cuivre ou d'éléments tels que les cornes creuses, provenant de ruminants, parfois d'animaux exotiques, comme l'olifant qui doit son nom à l'éléphant dont l'ivoire des défenses servait à faire certains de ces instruments.

Par la suite, d'innombrables autres moyens d'émettre des sons musicaux ont été imaginés, mais, jusqu'au développement des cuivres, le bois était le matériau principal de tous les instruments de musique, en particulier des instruments à cordes, qui ont connu des formes et des modèles très nombreux. L'importance des diverses variétés d'arbres auxquelles fait appel l'art de la lutherie apparaît lorsqu'on regarde l'évolution de ces instruments, du rebec du XIIIe siècle à la viole du XVIIe et aux violons de Stradivarius. Et dans le piano, la caisse de bois joue un rôle essentiel dans la qualité de l'instrument et du son qu'il produit.

Ainsi, après avoir offert l'outil à l'Homme, l'Arbre lui aura apporté la musique.

Postface
L'ARBRE ET L'HOMME

Dans l'imaginaire de l'Homme et dans sa vie quotidienne, l'Arbre – son cousin éloigné et très antérieur, parmi les êtres vivants, et dont certaines espèces se sont maintenues jusqu'à nous pendant des millions d'années – a une place particulière. La présence sereine des arbres est un élément d'équilibre dans l'environnement mental de l'Homme, et essentiel pour préserver une planète habitable. La disponibilité ou la pénurie de ce que l'Arbre lui offre – le bois, mais aussi le feu qui en est sorti – ont eu des conséquences considérables pour l'Homme.

Il est paradoxal de penser que ce sont souvent des catastrophes – que leur origine soit plus ou moins anthropique ou naturelle – et parfois des guerres qui sont à l'origine non seulement de modifications du cadre de vie, mais de progrès techniques. Au Moyen Âge, la multiplication des incendies dans les villes, en détruisant aussi des édifices du culte, a été dans l'Europe de l'Ouest un des facteurs de l'évolution de l'architecture. En France, l'extension des défrichages due à la croissance de la population et aux problèmes de subsistance qui en découlaient, avec une agriculture à très faible rendement ayant entraîné la modification de l'approvisionnement en bois, a été l'élément premier des transformations des techniques de construction, et a entraîné des progrès dans les applications de la géométrie, qui se sont ensuite étendus aux nombreux domaines de la science et de l'industrie, qui modèlent notre cadre de vie actuel.

Depuis que l'Homme est apparu, et tout au long de son itinéraire, si l'Arbre ne lui avait pas apporté sa chair même – le bois – et donné naissance et aliment au feu, il n'aurait pas pu, dans beaucoup de cas, survivre. Par son bois, avant même d'ouvrir la voie, sur terre, sur l'eau, et dans l'air, aux transports qui ont transformé le monde, l'Arbre a été, par le feu, le fournisseur initial d'énergie, le moyen d'utiliser les métaux, et ainsi le premier moteur qui a généré l'industrie.

L'Arbre est le protecteur de la vie sous toutes ses formes et de la survie de l'Homme lui-même, et c'est à juste titre qu'il a été l'objet d'un culte. Il est aussi un précieux indicateur. La disparition des arbres, par la déforestation du fait de l'homme, ou par la désertification, c'est d'abord une diminution de la capacité de stockage du CO_2 atmosphérique. Et, dès lors qu'arbres et arbustes disparaissent d'une terre, le désert s'y installe. Plus d'un tiers des terres émergées va subir cette évolution si des mesures pour l'arrêter ne sont pas prises. Cela concerne un demi-milliard de personnes aujourd'hui, et cinq fois plus avant la fin du siècle, si rien n'est fait. Les moyens nécessaires — des exemples le prouvent — sont relativement modestes au regard de l'importance de l'enjeu : il s'agit d'améliorer de façon adaptée à chaque cas, la gestion de l'eau et les techniques agricoles et forestières et — ce qui est essentiel — en donnant des moyens à la population agricole de rester sur place, pendant la période de revitalisation. Mais une action concertée et la solidarité internationale sont indispensables.

Sans l'Arbre, la connaissance, l'occupation et l'exploitation par l'Homme de toutes les parties de la terre n'auraient pas pu avoir lieu. On peut affirmer que, sans la contribution de l'Arbre, l'Homme lui-même, tel qu'il est devenu, avec les transformations qu'il a apportées au cadre de vie, pour le meilleur et pour le pire, n'existerait pas. C'est aujourd'hui à lui, dans son propre intérêt, de préserver le plus ancien, le plus fidèle de ses amis.

TABLE

L'ARBRE ET L'HOMME, *par Roland Bechmann*

La Science
Yang Huan Ming et Pierre Léna

Le Ciel
Tang Yi Jie et Léon Vandermeersch